## SEM

Dat ben ik dus, Sem van Buuren, negen jaar. Ik kan
redelijk tennissen en behoorlijk goed tekenen, maar
in rekenen ben ik de beste van de klas. Ik ben er zelfs
zo goed in dat ik later vast professor zou kunnen
worden of wetenschapper. Dat zegt mijn meester
tenminste, meester Maarten, maar volgens mij is
meester Maarten gewoon een beetje verliefd op mijn
moeder omdat zij hem steeds cadeautjes geeft.

+

## LEAH

Zo heet mijn moeder, maar mijn vader
noemt haar Lé, dat is haar troetelnaampje.
Mijn moeder is een halve huisvrouw
omdat ze twee dagen in de week in een
schoenenwinkel werkt. Ze is altijd bang
dat mensen haar niet aardig vinden en ze
doet overdreven haar best om het iedereen
naar de zin te maken, maar dan heb ik het wel over
andere mensen natuurlijk, bij ons thuis wordt het
haar wel eens te veel en kan ze niet altijd de vrede
bewaren. Het is ook niet altijd makkelijk
voor mijn moeder hoor, met drie kinderen...
Hoewel, ik zeg nu wel drie kinderen,
maar met mijn vader

+

### ROLF

erbij zijn het er eigenlijk vier. Hij kan
namelijk niks zonder de hulp van mijn
moeder, behalve koken en rekenen. Hij
heeft van rekenen zelfs zijn werk
gemaakt en rekent vier dagen per week
dingen uit voor de bank. Op woensdag
heeft hij vrij, dat denkt hij zelf
tenminste, want hij moet eigenlijk op

+

### BO

mijn jongste zusje passen. Bo is twee en mijn vader
zet haar vaak voor de tv, zodat hij zelf de krant kan
lezen. Zodra wij dan om één uur uit school komen,
vraagt hij snel mijn oudere zus

+

## LISA

of ze even wat leuks met Bo wil gaan doen. Lisa is blond, heel erg blond, en ze zeggen wel eens dat blonde meisjes dom zijn en bij mijn zus klopt dat ook. Of laat ik het anders zeggen: Lisa is niet het allerslimste meisje dat ik ken...

Alles bij elkaar opgeteld hebben we een hartstikke leuk leven met elkaar. En ook al zijn we zo verschillend als wat, er is toch één dingetje dat we allemaal gemeen hebben: iedereen bij ons thuis

=

## EEN BEETJE GETIKT
(een heel klein beetje maar)

En o ja, dit is Ober, onze hond.

# 1

*een niet al te slimme zus*
*+*
*een niet al te slimme vriendin*
*=*
*een combinatie die je maar beter*
*in de gaten kan blijven houden*

Lisa heeft vandaag een vriendin mee naar huis genomen.

'Sem, houd jij even een oogje in het zeil?' had mijn moeder mij toegefluisterd, want ook al is Lisa een stukje ouder dan ik, mijn moeder vindt mij toch een stukje verstandiger. Ze moest zelf met Bo naar peuterzwemmen.

En dus zit ik nu een computerspelletje te doen aan de keukentafel in plaats van boven, op mijn kamer.

'Wat zullen wij gaan doen?' vraagt Lisa aan haar vriendin.

'Ik vind Twister super!' zegt de vriendin en Lisa blijkbaar ook want ik hoor haar een enthousiaste kreet slaken.

'Yeah! Nee, echt? Weer hetzelfde! Sem, Sem, moet je horen hoeveel dingen wij hetzelfde hebben!'

Ze komen samen op me af en ik druk met tegenzin op het pauzeknopje van mijn spelletje. 'Wat dan allemaal?' vraag ik.

Lisa glundert er helemaal van en haar vriendin ook. We heten precies hetzelfde, alleen heet zij Lisa met een Z en ik met een S.

'Dus niet precies hetzelfde,' zucht ik.

'Nee, maar het klinkt precies hetzelfde. En we houden allebei niet van brandnetels, we zijn allebei nog nooit on-

der een auto gekomen, we hebben allebei rekenbijles en... wat was dat andere nou ook alweer?' vraagt Lisa aan haar vriendin, maar Lisa de tweede weet het ook niet meer. Ik kan zelf wel iets bedenken: ze zijn allebei even dom. Zo kan ik ook wel een paar overeenkomsten met een ander verzinnen! Wie houdt er nou wel van brandnetels? En ik ken ook geen enkel ander kind dat wel eens onder een auto is gekomen.

'Nou ja, een heleboel dingen precies hetzelfde in elk geval, toevallig hè?' zegt Lisa trots na een lange denkpauze.

'Zullen we Twister spelen?' vraagt Lisa de tweede, maar mijn zus schudt haar hoofd.

'Nee, we hebben geen Twister,' zegt ze.

De andere Lisa omhelst haar. 'Weer iets hetzelfde, wij hebben ook geen Twister!'

Ik schud mijn hoofd. Nee hè, twee Lisa's! Ik vind eentje eigenlijk al meer dan genoeg. Ik pak mijn spelletje en probeer mijn oude record te breken, maar ik kan me echt niet meer concentreren als ik hoor dat de twee Lisa's besloten hebben om samen een slagroomtaart te maken.

De bodem van de taart ligt kant-en-klaar op het aanrecht en Lisa leest de tekst op de zijkant van het pak.

'We hebben 210 liter melk nodig,' zegt Lisa. 'Als jij vast even verder leest, ga ik twee emmers halen uit de garage!'

Geduldig houd ik haar tegen. 'Stop! 210 liter, moet dat niet 210 MILLI-liter zijn?'

Lisa weet zeker van niet, maar leest het toch nog maar een keer opnieuw. 'Ja, toch milliliter,' mompelt ze.

Ik besluit ze een beetje op weg te helpen, haal de maatbeker uit de la en laat de Lisa's zien hoe je 210 milliliter afmeet. Nu ben ik zelf helemaal niet goed in koken en alles wat daarmee te maken heeft, maar meten, wegen en rekenen kun je best aan mij overlaten, want daarmee help ik mijn moeder ook altijd.

Ik ga weer aan de keukentafel zitten en leg mijn computerspelletje opzij. Ik kan beter blijven opletten, anders komt mijn moeder straks thuis en hebben de Lisa's haar hele keuken laten ontploffen.

Ze doen de afgemeten melk in een kom en lezen verder. 'Nou, dat is ook raar, er moet een theelepel in,' zegt Lisa de tweede.

Ik probeer mijn lach in te houden en schraap mijn keel. 'Eh, een theelepel met iets bedoel je zeker...?'

Lisa de tweede leest nog een keer goed en knikt. 'O ja, een theelepel zout.'

Ik loop weer naar het aanrecht en geef haar een theelepeltje uit de keukenla.

'Er moet ook boter in,' zegt mijn zus en ze pakt de boter uit de ijskast, maar gelukkig kan ik weer net op tijd ingrijpen.

'Nee, niet de smeerboter!' gil ik en ik trek het kuipje uit haar handen. 'Er moet roomboter in.' Ik kijk op van me-

11

zelf, ik zit blijkbaar vaker in de keuken dan ik dacht! Ik besluit de Lisa's gewoon maar even te helpen en pas als het bijna helemaal klaar is, ga ik lekker op mijn kamer proberen mijn oude record te verbeteren. Zonder het getetter van de Lisa's aan mijn oren kan ik me veel beter concentreren.

Drie kwartier later is de taart bijna klaar en de keuken weer helemaal netjes, want Lisa de tweede heeft alle vieze dingen al in de afwasmachine gezet. Ik kan best even weg.

'Ik ga even naar mijn kamer, oké?' zeg ik tegen de Lisa's.

Boven plof ik heerlijk op mijn bed en pak tevreden mijn spelletje. Ik speel net zolang door tot het me eindelijk gelukt is: mijn oude record is gebroken! Lekker even niet op mijn zus en haar vriendin letten, want wat kan er nu nog misgaan? Niets toch? Ik hoor dat de tv aanstaat, dus dat zit vast wel goed. Ik speel nog even door, gewoon voor de lol.

Na nog twintig minuutjes besluit ik dat het tijd is om weer naar beneden te gaan.

'Waar is die taart nou?' vraag ik als ik weer beneden ben waar de twee Lisa's inderdaad voor de tv zitten.

Lisa kijkt me aan met een blik van 'waar bemoei jij je mee?'

'Nou?' vraag ik nog een keer.

'Gewoon, in de oven,' antwoordt de andere Lisa.

Ik kan mijn oren niet geloven. 'Wat? Een slagroomtaart!?'

Lisa steekt haar tong naar me uit. 'Duh, we moesten hem toch nog afbakken!'

'Slagroom smelt!' gil ik naar de Lisa's. Wat hebben ze toch in hun hoofd? Zaagsel?

Ik ren in paniek naar de keuken en buk om door het glas van de ovendeur te kijken. Hè, ik snap er niets meer van...

De Lisa's zijn achter me komen staan en lachen me uit.
'Hij staat in de ijskast, sukkel!' lachen ze.

Ik veeg de zweetdruppels van mijn voorhoofd. De Lisa's lopen lachend naar de huiskamer.

'We zijn niet dom of zo!' roept Lisa.

'Nee, nu gelukkig even niet!' zucht ik opgelucht.

# 2

een logeerpartijtje
+
een oud apparaat van je vader
=
soms alleen maar gedoe

Soms zijn er van die weekenden waar ik me de hele week op kan verheugen. Zoals dit weekend, want Jesse komt logeren. Ik moest van mijn moeder helpen zijn logeerbed op te maken en nu zoek ik mijn zaklamp, zodat we er vanavond als het donker is mee in de tuin kunnen spelen.

'Wat zoek je?' vraagt mijn vader, die nieuwsgierig zijn hoofd om de hoek heeft gestoken.

'Mijn zaklamp, ik wou vanavond met Jesse in de tuin en zo, snap je?'

Mijn vader snapt het niet helemaal, zoals altijd. 'Wat wil je in de tuin doen dan, vind je dat spannend?'

Ik zucht. 'Ja, pap dat vinden we avontuurlijk.'

Mijn vader ploft op het net opgemaakte logeerbed van Jesse en lacht van oor tot oor. 'Weet je wat ik vroeger avontuurlijk vond? Met mijn metaaldetector naar oude munten zoeken. Ik kon er uren mee spelen. Dan liep ik met de detector over het gras of door het zand en wachtte ik net zolang tot het piepsignaal ultrasterk was en dan had ik eigenlijk altijd wel prijs.'

Dat klinkt inderdaad avontuurlijk, met zo'n metaaldetector naar schatten zoeken.

'Ik denk dat hij nog wel ergens op zolder staat,' lacht mijn vader.

Nu lach ik ook van oor tot oor. 'Wat? Hebben wij gewoon een metaaldetector op zolder staan?' roep ik.

Mijn vader is blij dat ik eindelijk een keer geïnteresseerd ben in een van zijn jeugdverhalen en springt meteen op om hem te gaan zoeken. Terwijl ik vol verwachting zit te wachten, hoor ik een hoop gerommel boven mijn hoofd. Als hij dat ding nog heeft, is hij wel heel goed weggestopt, want zelf heb ik hem nog nooit gezien. Maar na een half uurtje komt mijn vader inderdaad weer mijn kamer in met het oude apparaat in zijn hand. Zijn trui zit onder het stof.

'Er zit zelfs een lampje op!' lacht hij trots.

Dat is leuk! Nu kunnen Jesse en ik tenminste echt iets avontuurlijks doen! Mijn vader legt uit hoe het apparaat precies werkt en laat het me zien door een muntje onder een boek te verstoppen. Ik loop met het apparaat door mijn kamer en hoor hoe het signaal steeds sterker wordt. Vlak bij het muntje begint het apparaat keihard te piepen.

'Oké, ik snap hem, pap!' zeg ik en ik steek mijn duim overdreven in de lucht. Ik moet mijn vader alles altijd heel goed duidelijk maken, anders zit hij morgen nog steeds op mijn kamer.

De bel gaat, daar zul je Jesse al hebben. Ik ren de trap af en trek hem meteen aan zijn arm mee naar mijn kamer. Hij heeft zijn jas nog aan en een rugzak over zijn schouder.

'Mijn vader heeft zijn oude metaaldetector aan me uitgeleend en nu kunnen we samen naar kostbare dingen zoeken!'

Jesse gooit zijn rugzak op het logeerbed. 'Wauw, echt!' roept hij enthousiast.

Ik haal de detector tevoorschijn en stel voor om eerst eens buiten te gaan zoeken. 'Dan zoeken we vanavond in de tuin.'

Jesse vindt het een goed idee. 'Wie weet vinden wij ook wel zeldzame munten!' zegt hij.

Beneden komt mijn vader meteen op ons af. 'Wat gaan jullie doen, jongens, gaan jullie schatten zoeken in de tuin?'

Ik schud mijn hoofd. 'Nee, nu nog niet, vanavond. We gaan nu nog even buiten zoeken.'

'O, wat leuk! Zal ik met jullie meegaan?'

Ik trek Jesse mee naar buiten en schud mijn hoofd. 'Nee, dank je, pap.'

We lopen over het grasveld en houden om de beurt de metaaldetector vast. Ineens horen we de pieptoon sterker worden.

'Hier ligt iets!' roept Jesse en hij wijst op de plek waar hij denkt dat het ligt. We peuren met een stokje in de grond, want op dit grasveld poepen zo veel honden dat we het vies vinden om er met onze handen te graven. Het is een heel karwei en dat allemaal voor een opengevouwen paperclip. We zoeken door en vinden nog een muntje van tien cent, een oude pincet en een haarspeldje. Niet echt schatten om indruk mee te maken.

Als we weer met het apparaat naar huis lopen, staat mijn vader ons vol verwachting op te wachten.

'En?' vraagt hij. 'Nog ontelbaar veel schatten gevonden?'

Ik zet de metaaldetector teleurgesteld in de gang. 'Nee, alleen maar rommel,' klaag ik.

'Misschien moeten jullie dan toch eens in de tuin gaan zoeken,' lacht mijn vader. 'In tuinen liggen vaak de grootste schatten.'

Maar nu hebben we geen zin meer om te zoeken, want mijn moeder heeft het eten bijna klaar.

Na het eten hangen Jesse en ik voor de televisie en loopt mijn vader onrustig door het huis.

'Gaan jullie niet verder met zoeken?' vraagt hij.

Ik snap niet goed waarom hij zo moeilijk doet. Als ik van tevoren had geweten dat het verplicht zou zijn om met zijn oude metaaldetector te spelen, had ik hem er nooit naar gevraagd.

Mijn moeder bemoeit zich ermee. 'Laat die jongens toch, misschien hebben ze gewoon geen zin.' Zij vindt ook dat mijn vader aan het zeuren is.

Mijn vader blijft nog wel een uur met zielige ogen naar de metaaldetector kijken. Uiteindelijk kan ik er niet meer tegen.

Ik trek Jesse aan zijn mouw. 'Laten we nog even door de tuin lopen,' zeg ik om mijn vader een plezier te doen. Ik weet al dat we niets zullen vinden, maar we doorzoeken toch maar de hele tuin met de metaaldetector. We volgen het kleine lampje op het apparaat, maar er gebeurt niets. We horen zelfs geen zacht piepsignaal en besluiten dat het wel weer genoeg is geweest.

Mijn vader zit onderuitgezakt in zijn luie stoel een boek te lezen en mijn moeder zit te puzzelen op de bank.

'We hebben niets gevonden,' zeg ik terwijl ik de metaaldetector netjes in de hoek van de kamer zet.

Mijn vader legt zijn boek geschrokken opzij. 'Niets gevonden? Nee, dat kan niet!'

Gelukkig helpt Jesse me een beetje. 'De pieptoon is niet één keer afgegaan, er ligt helemaal niks in jullie tuin hoor!'

'Niks...?' stamelt mijn vader. Hij springt meteen op uit zijn stoel, pakt de metaaldetector en gaat de tuin in. 'Dat moet ik controleren!' zegt hij zenuwachtig.

We kijken lekker een film en hebben mijn vader verder niet meer gezien. Hij heeft de hele avond nog met de detector door de tuin gelopen, en toen mijn moeder hem 's morgens vroeg betrapte met een schepje, heeft hij aan haar opgebiecht dat hij haar parelketting ergens in de tuin had begraven.

'Mijn parelketting, een erfstuk van mijn oudtante!' zucht mijn moeder boos. 'Je vader dacht dat er een metalen sluitinkje aan zat, maar die oen heeft helemaal niet in het doosje gekeken!'

Mijn vader voelt zich schuldig en zakt met hangende schouders door zijn knieën in de tuin om verder te zoeken terwijl mijn moeder in de deuropening staat te mopperen.

'Dat stomme apparaat van jou ook!' roept ze boos. 'En nu ben ik mijn ketting kwijt, en is het een ravage in de tuin!'

Jesse en ik hebben zowel met mijn moeder als met mijn vader te doen en besluiten te helpen met zoeken. We speuren samen de hele tuin af met harkjes en schepjes, tot Jesse ineens het doosje omhooghoudt. 'Ik heb hem!' gilt hij.

Mijn moeder is dolgelukkig dat ze de ketting weer heeft, maar ze is ook nog steeds woedend op mijn vader. We rennen naar binnen en wassen onze handen. Als mijn vader ook de kamer weer in komt, kijkt hij bezorgd om zich heen.

'Waar is mijn metaaldetector?' vraagt hij voorzichtig.

'Die ligt in twee stukken in de vuilcontainer,' zegt mijn moeder boos.

Mijn vader trekt een triest gezicht, maar ik beur hem meteen op.

'Ach, zonder metaaldetector zoeken is toch veel avontuurlijker, dan vind je nog eens wat!'

# 3

*een nieuwe broek*
*+*
*een moeder die geld wil besparen*
*=*
*100% problemen!*

Mijn moeder is ongeduldig. Ze zit nu al een tijdje in de auto op me te wachten en terwijl ik mijn jas aantrek, hoor haar voor de derde keer op de toeter drukken.

'Ja, ja, ik kom al,' mompel ik en ik slenter naar de voordeur. Normaal gezien is mijn moeder altijd vreselijk langzaam, behalve als ze het woord 'winkelen' hoort. Dan zit ze ineens als eerste in de auto. Of het nou winkelen is voor zichzelf, boodschappen doen of zoals vandaag een nieuwe broek voor mij kopen, mijn moeder doet het met het grootste plezier van de wereld.

De motor van de auto loopt al en mijn moeder heeft haar raam opengedraaid.

'Waar blijf je nou, ik wacht al uren op je!' moppert ze, maar ik ga rustig achterin zitten en klik mijn autogordel vast. Als we zo bij het winkelcentrum komen is ze alles weer vergeten, weet ik uit ervaring.

Ik haat winkelen en heb mijn moeder al meerdere keren gesmeekt om zelf een broek voor mij uit te zoeken, maar dat wilde ze uiteraard niet. Omdat winkelen volgens haar een goede manier is om wat extra aandacht te kunnen geven aan ieder kind. Zo mag Lisa, die net als mijn moeder dol is op winkelen, elk seizoen iets nieuws uitzoeken, en daarna een tosti eten bij de lunchroom. Bo mag na het boodschappen doen als beloning in de speel-goedhelikopter en ik mag, terwijl ik dat helemaal niet wil, een nieuwe broek uitzoeken en daarna een patatje met mijn moeder eten. Nou klinkt een patatje eten heel aantrekkelijk, maar dan ken je mijn moeder nog niet. Zij gebruikt het patatje alleen maar om me uit te horen over van alles en nog wat en vraagt vaak zo veel dat ik helemaal niet lekker van mijn patatje kan genieten. Jakkes, ik zie er nu al tegen op!

'Heb je al nagedacht over de broek die je wil hebben?' vraagt mijn moeder als ze na een half uur zwijgen de auto bij het winkelcentrum parkeert.

'Ik weet niet,' mompel ik terug, maar daar neemt ze geen genoegen mee.

'Ik dacht aan een spijkerbroek,' zegt ze.

Ik zucht diep. Als ze het zelf zo goed weet, waarom vraagt ze het dan nog aan mij? Maar ze is alweer uit de auto gesprongen en rukt voor ik er erg in heb mijn portier open.

'Kom, schiet nou maar op, straks zijn de winkels dicht en hebben we nog niks!'

Ik loop achter haar aan door de poort van het grote overdekte winkelcentrum. 'Havenpoort', staat er in een grote boog boven. Eigenlijk een heel rare naam, want in deze omgeving is geen enkele haven te vinden.

'Waarom heet dit winkelcentrum eigenlijk Haven-poort, er zijn hier toch helemaal geen havens?' vraag ik, maar mijn moeder loopt met grote stappen voor me uit en lijkt wel betoverd door alle winkels.

'Eh, wat zeg je daar allemaal... De zonnebrilkoordjes zijn in de aanbieding, ik ga even snel hier kijken,' zegt ze en voor ik er erg in heb staat mijn moeder afgeprijsde zon-nebrillen uit te proberen. 'Deze is leuk, hè, vind je niet?'

Ik knik zonder iets te zeggen, anders staan we hier straks de hele middag. Na nog een zonnebrilletje of negen heeft mijn moeder eindelijk een keus gemaakt.

Twintig minuten later lopen we eindelijk die stomme brillenwinkel uit en net als ik denk dat we lekker op weg zijn stopt ze weer bij een etalage.

'Daar verderop is toch een kledingwinkel?' zeg ik. En terwijl ik haar wil laten zien welke winkel ik bedoel, schiet mijn moeder bij een juwelier naar binnen.

'Ja, zo! Nog even snel oorbellen kijken, veertig procent korting!'

Dat snap ik nou niet, hoor. Elke keer als ik met mijn moeder ga winkelen, doet ze alsof we even snel een spijkerbroek gaan kopen, maar ondertussen moet ik haar er de hele tijd zelf aan herinneren! Maar na 'nog even in die bak kijken voor een aansteker voor papa', 'nog even een paar sokken voor de halve prijs' en 'nog even een nieuwe

krultang', gaan we eindelijk op zoek naar een spijkerbroek.

'Hier hebben ze vast wel iets,' zegt mijn moeder als we
de kledingwinkel binnenlopen. Zij barst nog van de energie, maar ik ben al helemaal uitgeput. Ik ben zo moe dat
ik niet uitkijk en tegen iemand opbots.

'Au!' zegt een meisje beledigd.

Ik kijk geschrokken op. 'Sorry,' stamel ik. Snel loop ik
achter mijn moeder aan voor het meisje ziet dat ik rood
word.

Mijn moeder heeft een broek uit de rekken gegrist en
kijkt met een grote grijns naar het prijskaartje. 'Kijk eens,
mooi hè! En er gaat ook nog eens zeventig procent vanaf!'
Ze duwt me richting de pashokjes. 'Pas maar even, voor
dat geld kunnen we hem niet laten hangen.'

Nou ja! Ze heeft net zelf een half uur oorbellen staan
kijken en nu heeft ze voor mij binnen twee tellen iets gevonden. Ik kleed me uit en probeer de broek aan te trekken, maar het gaat erg moeilijk. Ik trek en sjor en het
zweet breekt me uit. In de spiegel zie ik mijn paars aange-
lopen hoofd. Net wanneer ik de pijpen over mijn knieën
heb getrokken en gebukt met mijn kont naar achter sta...
trekt mijn moeder – roetjs – het gordijntje open.

'Hoe zit ie?' vraagt ze en ze laat me voor de hele winkel
voor gek staan in mijn onderbroek.

'Ik ben nog niet klaar!' gil ik en omdat ik nu alleen nog
maar kan strompelen, draai ik me onhandig om naar het
gordijntje, want mijn moeder heeft blijkbaar geen enkele
haast om me uit mijn lijden te verlossen. Ik zie hoe het
meisje waar ik net tegenaan botste mij giechelend bekijkt, ruk het gordijntje weer dicht en hijs mezelf zo snel
ik kan in de veel te krappe spijkerbroek.

Voorzichtig steek ik mijn hoofd om het hoekje om te

zien of het meisje er nog staat, maar gelukkig is ze door-
gelopen. Ik loop met kleine pasjes naar de spiegel en kijk
samen met mijn moeder naar de broek.

'Hij is te klein,' zeg ik vastbesloten, maar mijn moeder
is het er niet mee eens.

'Te klein? Nee hoor, helemaal niet! Mooi juist! Dat
maakt je veel langer,' lacht ze tevreden.

Ik bekijk de broek nog eens kritisch. Ik heb altijd al een

stukje langer willen lijken. Maar echt lekker zit die broek toch niet.

'Echt?' vraag ik.

Mijn moeder knikt uitbundig. 'Jazeker! Het scheelt zo een centimeter of vijf!' Een centimeter of vijf klinkt me als muziek in de oren. Meisjes worden vaak verliefd op lange jongens. Kijk maar naar Mark uit mijn groep, die is lang en er zijn wel drie meisjes verliefd op hem!

'Oké, ik wil hem,' besluit ik. Hij gaat gelukkig sneller uit dan hij aan ging, en voor ik weet sta ik weer in mijn oude kleren met mijn moeder een uithoor-patatje te eten. Hier ben ik voorlopig weer van af!

Vanmorgen heeft het me lang gekost om de nieuwe broek aan te trekken en de trap aflopen was ineens een stuk moeilijker dan anders. Maar ik heb het ervoor over. Mijn moeder zei het zelf, ik lijk minstens vijf centimeter langer.

Als ik langzaam het schoolplein op loop, zijn de jongens uit mijn klas aan het voetballen. De bal komt op me af.

'Sem, pak hem!' gilt Mark.

Ik volg de bal en probeer erop af te rennen, maar mijn nieuwe broek zit zo strak dat ik maar heel kleine pasjes kan maken. Met een rood hoofd ren ik met mijn gekke muizenpasjes achter de bal aan en als ik hem eindelijk heb onderschept, staat Mark me uit te lachen.

'Ha ha ha, moet je Sem zien lopen! Het lijkt wel of je in je broek gepoept hebt!'

De andere jongens lachen me ook uit en zelfs de meisjes hebben de broek opgemerkt.

'Ha ha! Sem heeft per ongeluk een broek van zijn zus aangetrokken,' gonst het over het plein.

Zie je wel! Mijn moeder heeft me die broek alleen maar aangesmeerd om de prijs! Grrr... vijf centimeter langer... Ik voel me eerder tien centimeter kleiner!

# 4

een peutertje
+
een heleboel oefeningen
=
alleen leuk als het peutertje alles precies
onthoudt zoals je het haar leert!

Soms moet je iets voor je moeder doen. En soms moet je heel vaak iets voor je moeder doen, zoals ik. Ik heb het idee dat ik altijd de klos ben en dat Lisa en mijn vader altijd geluk hebben.

Nu ook weer. Moet ik op Bo passen omdat Lisa een turnwedstrijd heeft en mijn moeder een paar meisjes van haar team naar de plek van de wedstrijd moest rijden. De achterbank was vol en mijn vader moest nog even naar zijn werk, dus moest Bo bij mij blijven. Terwijl ik vandaag heel andere dingen in gedachten had, want het is zaterdag, dus ik heb ook weekend! Maar dat lijkt niemand iets te interesseren.

Bo zit naast me met haar snotneus en ik bekijk haar eens goed. Ze lijkt op Lisa, mijn moeder zegt het ook altijd. Alleen was Lisa als peuter ook al niet de slimste en volgens mijn vader lijkt Bo meer op mij.

Nu ik bijna de hele dag alleen ben met mijn kleine zusje, besluit ik dat het tijd is om haar vast een aantal belangrijke dingen te leren. Ik loop naar de kast en zoek foto's bij elkaar van alle familieleden. Daarna pak ik een rol Sesamstraatkoekjes en zet ik Bo in haar kinderstoel, zodat ze goed kan opletten.

'Bo, wie is dit?' vraag ik en ik houd de foto van mijn vader omhoog.

'Poto!' kraait Bo.

Ik knik. 'Ja, ja, foto, maar wie is dat?'

Bo lacht. 'Papa!'

Ik geef haar een stukje koek en zeg 'Goed zo!' Ik heb wel eens gelezen dat je kleine kinderen op die manier iets kan leren.

'Koekie!' Bo propt het onsmakelijk in haar mond. Als ze uitgegeten is, leer ik haar dat papa bij de bank werkt,

dat mama lief is en dat Lisa mooi is. Dat ik haar baas ben, benadruk ik ook nog even. Ik vind het belangrijk dat ze zich dat blijft realiseren!

Bo wijst naar de hond, die inmiddels uitgeput in zijn mand in slaap is gevallen. 'Obe!' roept ze trots.

Ik knik en houd mijn vinger voor mijn mond. 'Sst, Ober is moe, hij ligt lekker te luieren, luie Ober!'

Bo moet lachen. 'Luie Obe!'

Ik heb er uren en een heel pak koek ingestoken en nu mag Bo van mij weer zelf spelen. Ik pak haar op uit de kinderstoel en geef haar een sprookjesboek. Ze vindt het leuk om plaatjes te kijken.

Bo wijst meteen naar een heks op de voorkant van het sprookjesboek. 'Eks,' zegt ze.

Ik wijs op het plaatje: 'Heks!'

Bo bestudeert de heks eens goed. 'Eks, moi!' zegt ze vastbesloten.

Omdat ik haar nu toch van alles aan het leren ben, schud ik meteen van nee. 'Nee, heks is niet mooi, heks is lelijk, lelijke heks!'

'Lilleke eks!' schreeuwt Bo. Ze kraait het uit van plezier.

Ik zie op de klok dat het alweer drie uur is. De tijd is best snel gegaan. Ik ben trots op mezelf. Door zo veel energie in mijn kleine zusje te steken, heb ik haar mis-

schien een hoop ellende voor later bespaard.

Dan wijst Bo ineens naar de hoek van de kamer. 'Pas, pas, pas!'

O nee, ik ben helemaal vergeten de hond uit te laten en nu heeft hij in de kamer geplast!

Ik spring op. 'Ober is vies! V I E S! Vieze ober!' zeg ik tegen
Bo, maar die zit alweer druk in het boek te bladeren. Ik
ruim de plas op.

Als mijn ouders weer thuis zijn, kan ik niet wachten
met vertellen wat ik heb gedaan.

'Pap, mam, ik heb Bo de hele dag woorden geleerd!' ver-
tel ik en mijn moeder is er zo te zien van onder de indruk.

'Wat leuk, dan kunnen we zo meteen als we uit eten
gaan eens mooi horen wat ze allemaal heeft geleerd.'

'Uit eten gaan?' vraag ik, want we gaan eigenlijk nooit
met de hele familie uit eten en al helemaal niet spontaan!

Mijn moeder knikt. 'Ja, ik had in de auto bedacht dat
het wel een leuke manier zou zijn om weer eens gezellig
met elkaar te kletsen en de dag door te nemen, we hebben
het allemaal weer zo druk gehad!'

Ik verheug me er nu al op. Met zijn allen lopen we naar
de auto.

Mijn vader klikt Bo in het stoeltje en ze lacht naar hem. 'Luie papa!' roept ze hard.

Mijn vader vindt het niet leuk. Tegen mijn moeder roept Bo 'Vieze mama' en Lisa wordt voor lilleke eks uitgemaakt. Als Bo dan ook nog 'Domme Obe' roept, is voor mijn moeder de maat vol: ze durft zich niet meer met haar gezin in een restaurant te vertonen. Iedereen moet weer de auto uit en ze zijn allemaal kwaad op mij.

'Mam, ik heb haar dat echt niet geleerd!' roep ik nog, maar mijn moeder gelooft er niets van. Ik moet direct naar mijn kamer.

Heb ik daarvoor de hele dag met mijn zusje geoefend en haar koekjes gevoerd? Als ik dat van tevoren had geweten, was ik er nooit aan begonnen. Pfff. Al dat werk... helemaal voor niets!

## 5

een rotdag
+
een vurige wens
=
niet altijd gedoemd om te mislukken...

Bah, het is maandag. Maandag ben ik altijd moe omdat ik in het weekend later naar bed mag. Het is dan ook de enige dag dat ik altijd maar nét op tijd op school kom, terwijl ik er alle andere dagen wel tien minuten eerder ben.

Vandaag gaat de bel precies op het moment dat ik bij school aankom. Ik slenter over het plein en zie de andere kinderen naar binnen rennen, maar zelf maak ik geen haast.

'Ik wens dat er iets gebeurt,' mompel ik zacht. 'Iets waardoor de maandag niet zo saai meer is.' Als ik iets echt heel graag wil, doe ik altijd een wens. Heel soms komt hij uit, maar meestal niet. Dat vind ik nou zo jammer aan wensen.

Met een slakkengangetje loop ik over de gang en hang mijn jas aan de kapstok. Iedereen zit al op zijn plek. Ik plof ook op mijn stoel en praat met Mark over het weekend. Meester Maarten is er nog niet, dus is het vrij rumoerig in de klas. En hoe langer het duurt voor meester Maarten komt, hoe rumoeriger het wordt.

De klas zit nu al meer dan tien minuten op de meester te wachten. Het is helemaal niets voor hem om te laat te komen. Meester Maarten is juist heel precies en altijd op tijd.

'Waar is hij, is hij ziek?' vraagt Mark.

Maar ik zou het niet weten. De meester is nog nooit ziek geweest, hij zal zich wel verslapen hebben. Ik ben er eigenlijk zeker van tot ik zie dat meneer De Wit onze klas binnenkomt, het hoofd van de school. Nu begin ik me toch zorgen te maken, er zal toch niets gebeurd zijn met de meester? Ik heb dan wel een wens gedaan, maar ik zou meester Maarten nooit iets ergs toewensen. Zou degene die de wensen vervult me niet goed begrepen hebben? Meneer De Wit komt nooit zomaar in de klas en nu heeft hij zelfs nog iemand bij zich: een lange, slungelige man met een brilletje. Het is in één klap doodstil in de klas, want iedereen wil weten wat de hoofdmeester te vertellen heeft. Meneer De Wit schraapt zijn keel.

'Beste kinderen, meester Maarten heeft een ongelukje gehad met zijn scheerapparaat, dus de komende week komt meester Roland jullie lesgeven,' vertelt hij en hij wijst naar de slungelige man met de bril. Ik vind het meteen al niks, ik hou helemaal niet van dit soort veranderingen. Ik wil gewoon meester Maarten, dan weet ik tenminste precies wat ik kan verwachten.

Als meneer De Wit weer weg is, staat meester Roland voor het bord en kijkt vriendelijk de klas in.

Hij pakt een stapel papieren uit zijn tas. 'Ik heb een soort taalkaarten bij me, ik zat eraan te denken om die met jullie te doen.'

Maar Patrick, de brutaalste jongen van de klas, steekt meteen zijn vinger op. 'Meester Roland, van meester Maarten mogen we elke maandagochtend tekeningen maken van wat we in het weekend hebben gedaan,' zegt hij. Alleen is het helemaal niet waar, want meester Maarten laat ons elke maandagochtend rekenen en 's middags geeft hij dictee.

De klas is stil en wacht op de reactie van meester Roland.
Zo te zien twijfelt hij nog.

'Is dat zo?' vraagt hij aan de rest van de klas.

We spelen allemaal mee en knikken. 'Ja, dat is zo.
Weekendkunst heet dat,' zegt Lisette.

'En 's middags praten we over de tekeningen,' verzint
Marcel.

Meester Roland is onder de indruk. 'Weekendkunst,
wat origineel!' lacht hij. 'Laten wij dat dan ook maar doen.
Ik ben benieuwd wat iedereen in het weekend gedaan
heeft, zo kan ik jullie meteen een beetje leren kennen.
Waar staan de tekenspullen?'

Ik grijns van oor tot oor, wat een goed begin van de dag
is dit! Iedereen zit de hele ochtend heerlijk te tekenen, gewoon dingen die we graag willen tekenen.

'Ik verzin er zo meteen wel een verhaal bij,' zeg ik lachend tegen Mark. En ik teken wat ik het beste kan: vliegtuigen.

'Zetten jullie wel je naam erboven?' vraagt meester Roland. De pauzebel gaat en de hele klas springt op en rent naar buiten.

En terwijl de klas zich normaal altijd over het hele plein verspreidt, klitten we deze pauze met zijn allen bij elkaar om over de nieuwe meester te kletsen.

'Hij geloofde het gewoon!' roept Patrick.

'Laten we vanmiddag gewoon fantasieverhalen verzinnen bij die tekeningen,' stel ik voor. De hele klas vindt het een geweldig idee.

'We kunnen dan gewoon vertellen wat we eigenlijk hadden willen doen dit weekend, hij kent ons toch niet!' roept Sophia. We fantaseren er meteen met zijn allen op los.

Na de pauze maakt iedereen z'n tekening nog mooier en fantasierijker en kleur ik mijn vliegtuigen netjes in.

Als we 's middags weer op school komen, heeft meester Roland onze tekeningen met plakbandjes op het opengeslagen schoolbord geplakt. Het ziet er geweldig uit. Hij heeft de stoelen in een kring gezet om met ons over de tekeningen te praten en hij wijst als eerste naar die van mij. 'Sem, ben jij dit weekend naar het vliegveld geweest?' vraagt hij geïnteresseerd.

Ik schud mijn hoofd. 'Nee, mijn vader heeft zelf een vliegtuig en soms vliegen we een stukje in het weekend. We hebben een landingsbaan in de tuin en dat blauwe daar, dat is ons zwembad, daar hebben we er ook twee van. Een binnen- en een buitenbad.'

Meester Roland trekt zijn wenkbrauw op. 'Is het heus?' vraagt hij.

Mark helpt me. 'Ja, ik ben wel eens met Sem en zijn vader naar Parijs gevlogen, toen mochten wij ook even sturen.'

Mijn verhaal was nog maar het begin, want de verhalen worden steeds mooier. Sasha vertelt over haar manege en dat ze Nederlands jeugdkampioen dressuur is geworden en Nick vertelt over een zeldzame opgraving in zijn achtertuin. Meester Roland luistert met open mond naar de indrukwekkende verhalen.

Voor iedereen er erg in heeft gaat de eindbel alweer.

Wat een leuke dag! De hele klas is blij met de nieuwe meester en we zijn allemaal benieuwd hoe het morgen zal gaan. Zou het weer zo leuk worden als vandaag, of zou meester Roland dat maar één dagje goedvinden...?

Maar de volgende dag is het weer raak en de dag erop weer! We maken meester Roland de raarste dingen wijs en hij gelooft het allemaal. Nu hebben we het na drie dagen tekenen, timmeren, sporten en boetseren voor elkaar dat we vrijdagmiddag een act mogen opvoeren en vrijdagochtend lekker mogen oefenen. Iedereen is dol op meester Roland, hij wordt nooit boos en heeft zelfs vast uitgedeeld voor zijn verjaardag omdat we hem hebben wijsgemaakt dat alle invallers dat doen bij ons.

En vandaag is het dan eindelijk vrijdag. Iedereen heeft verkleedkleren meegenomen voor het optreden van vanmiddag. We wachten vrolijk op de laatste dag van meester Roland, maar schrikken ons een ongeluk.

Meester Maarten komt ineens de klas in lopen met vier pleisters om zijn mond. Hij glimlacht vol verwachting. 'Ik ben er weer, een dagje eerder dan ik dacht, maar van de dokter mocht het, dus dacht ik: kom, ik ga mijn klasje weer eens opzoeken!' roept hij blij. Tevreden zet hij zijn tas naast zijn bureau. 'En, hebben jullie me gemist?' vraagt hij hoopvol.

Maar de klas blijft doodstil. Iedereen is teleurgesteld dat meester Maarten nu alweer terug is. Dit is wel even wat anders dan de hele week tekenen, papier-maché dieren maken, voetballen, kunstjes doen en schuilnaampje spelen. Meester Maarten snapt niet goed waarom iedereen in de klas zo stil is en chagrijnig kijkt.

'Is er iets?' vraagt hij aan Sophia.

'Van meester Roland mochten we optreden omdat het vrijdag was en nu heeft iedereen verkleedkleren meegenomen. We zouden de hele ochtend mogen oefenen en dan vanmiddag optreden en nu ben jij er ineens weer,' zucht Sophia teleurgesteld.

Meester Maarten trekt een zielig gezicht. Hij had wel iets anders verwacht dan negenentwintig sippe gezichten. 'Oké, oké, oké, vooruit dan maar. Maar maandag gewoon weer normaal, hoor!'

De klas begint meteen te juichen en ik bedenk vast wat ik volgende week eens zal wensen...

# 6

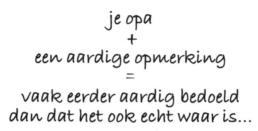

je opa
+
een aardige opmerking
=
vaak eerder aardig bedoeld
dan dat het ook echt waar is...

Ik sta al een poosje voor het raam in mijn kamer en tuur naar het eind van de straat. Daar zul je hem eindelijk hebben: mijn lievelingsopa Harry!

'Opa komt eraan!' gil ik naar beneden. Zelfs Lisa verheugt zich erop. Terwijl ze normaal gezien altijd de deur uit vlucht bij familievisite, maakt ze voor opa Harry graag een uitzondering. Hij heeft altijd een tas vol cadeautjes bij zich en meestal zijn die nog leuk ook. Vorige keer kreeg ik een radiografisch bestuurbaar vliegtuigje en mijn zus een roze digitale agenda. Mijn moeder vindt dat opa Harry ons altijd veel te veel verwent, maar dat kan me lekker niks schelen.

Ik ren de trap af en zwaai de voordeur open. Opa Harry lacht en zwaait al naar me, en ik kijk met hebberige ogen naar zijn grote, blauwe tas.

'Hoi, opa!' schreeuw ik. Lisa komt ook aanhuppelen en vervolgens omhelzen we hem allebei. Gek, maar als we opa zien gedragen we ons altijd weer een beetje kinderachtig, we geven hem zelfs een kus op zijn mond, terwijl we dat allebei eigenlijk hartstikke smerig vinden. Maar voor cadeautjes die de moeite waard zijn, hebben we veel over!

Opa Harry zegt mijn ouders gedag. Mijn moeder heeft koffie gezet. Opa is speciaal naar ons toe gekomen om met mijn vader naar een postzegelbeurs te gaan. Wij mogen gelukkig niet mee. In plaats daarvan gaan Lisa, Bo en ik morgen met mijn moeder mee naar de jaarlijkse braderie in het dorp.

Mijn vader kijkt ongeduldig op zijn horloge terwijl opa Harry zijn koffie drinkt en over de treinreis vertelt.

'Ik wil je niet opjagen, maar we moeten wel zo weg hoor, anders kunnen we nooit meer parkeren,' zegt mijn vader.

Opa Harry knikt en doet eindelijk zijn tas open. 'Nog even een presentje aan de kinderen geven,' mompelt hij. Bo krijgt een plaspop en Lisa een computerspelletje, maar aan mij geeft hij een zwaar, rechthoekig pak. Ik trek meteen het papier eraf. Het is een boek waar *Leonardo da Vinci, een leven vol uitvindingen* op staat.

'Zo hé!' zegt mijn vader jaloers. Hij had het boek zelf ook wel willen hebben.

'Leonardo da Vinci was een hele beroemde Italiaanse meneer,' legt opa Harry uit. 'Hij was niet alleen uitvinder, maar ook architect, beeldhouwer, natuurkundige, scheikundige, schrijver, schilder en componist.'

'Wauw, opa, dank je wel!'

Opa Harry slaat zijn arm om mij heen en lacht naar mijn vader. 'Voor de enige Leonardo in onze familie!' zegt hij trots. Ik ben zelf ook trots, maar mijn vader kijkt nog steeds jaloers naar mijn cadeau. Hij had ook wel de enige Leonardo in de familie willen zijn, maar opa knipoogt alleen naar mij.

Als opa en mijn vader weg zijn, blader ik op mijn kamer in het boek. Ik heb het pas een kwartier, maar het is nu al mijn lievelingsboek! Ik kijk vol verbazing naar alle

uitvindingen van Leonardo da Vinci en ben vooral onder de indruk van zijn pogingen om de mens te laten vliegen. Bij elke bladzijde die ik omsla spoken de woorden van mijn opa door mijn hoofd: *voor de enige Leonardo in onze familie...*

'Ik ben de nieuwe en verbeterde Leonardo en iedereen moet het weten!' roep ik. Ik schrik van mezelf, maar ben tegelijkertijd trots. Ik ga vliegen op een plek waar iedereen me kan zien, met nieuwe, verbeterde, zelf uitgevonden Leonardo-vleugels! Morgen ga ik vliegen op de braderie!

Ik ren naar de garage en pak de spullen die ik nodig heb. Spijkertjes, latjes, een houtzaagje, de rol gele folie die nog over was van Lisa's Sint Maarten-lampion, secondelijm, touw, ijzerdraad en een vuilniszak.

Terug op mijn kamer plof ik op de grond en bestudeer de vleugels die de oude Leonardo heeft uitgevonden. Dat kan ik als nieuwe Leonardo natuurlijk veel en veel beter! Zulke grote vleugels, dat is toch nergens voor nodig! Fietsen hadden vroeger ook van die belachelijk grote wielen, maar ja, toen waren mensen nog niet zo slim als nu en Leonardo was nog niet zo slim als ik. Ik leg de latjes op de grond en kijk tevreden naar de vorm, modern en klein, daar kan ik vast een eind mee komen.

Ik teken netjes met een stift waar de spijkertjes precies moeten komen, als Lisa haar hoofd om de hoek steekt.

'Wat maak jij?' vraagt ze nieuwsgierig. Ze gaat vlak bij de houten latjes staan en zakt door haar hurken om het werk van haar geniale broer te bewonderen.

'Slim, hè!' zeg ik trots en ik geef haar een knipoog.

Lisa knikt. 'Heel slim! Zo kunnen er geen muizen in je kamer komen!'

'Muizen...?'

Maar Lisa staat op en loopt alweer terug naar haar kamer. 'Ja, muizen. Dat is toch een muizenval, dommie!' roept ze vanuit de gang.

Ik schud mijn hoofd en begin de latjes grinnikend aan elkaar te spijkeren. Het is een heel karwei en ik moet superprecies te werk gaan, want als ik dat niet doe kan ik er niet mee vliegen en zal niemand ooit weten dat ik de nieuwe Leonardo ben! Ik lijm de houten latjes aan elkaar met secondelijm en lach als ik aan de oude Leonardo denk. Die had natuurlijk helemaal nog geen secondelijm, die moest dagen wachten tot het droog was! Ik vouw de

folie netjes om de latjes heen en vergelijk mijn vleugels met de vleugels in het boek. Wauw! De mijne zien er wel even wat professioneler uit! Dan bevestig ik de touwtjes op de juiste plek en stop de vleugels in de grote vuilniszak.

Als ik 's avonds in bed lig, kijk ik hoe de maan de vuilniszak met mijn uitvinding verlicht. Ze moesten eens weten, morgen komt de nieuwe Leonardo naar de braderie...

De volgende morgen ben ik alweer vroeg bezig met mijn plannetje. Ik moet me superdik aankleden voor het geval ik een harde landing maak. Ik trek wel zeven shirts over elkaar aan, met daaroverheen weer een oude, zwarte sweater van mijn vader. Op zolder zoek ik al mijn oude broeken bij elkaar en ik begin net als met de shirts eerst met de strakste. Voor de zekerheid zet ik mijn vaders gele fietshelm ook nog op.

'Komen jullie?' roept mijn moeder. Net op tijd trek ik de gulp van de bovenste broek dicht en pak de vuilniszak met de vleugels.

'Wat zullen we nou...' zegt mijn moeder en Lisa kijkt ook even raar, maar ik trek me er niks van aan en leg de vuilniszak voorzichtig achter in de auto. De hele weg zeg ik niets en luister ik naar het oninteressante geklets van mijn moeder en mijn zus. Gelukkig letten ze verder niet op mij zodat ik straks rustig mijn plannetje uit kan voeren.

'Wat ben jij van plan?' vraagt mijn moeder als ik de vuilniszak op de braderie weer uit de auto pak.

Ik lach geheimzinnig en schud mijn hoofd. 'Nee, dat zeg ik nog niet, dat is een verrassing!'

Gelukkig komt mijn moeder haar vriendin Ingrid tegen. Ze babbelen druk en ik trek voorzichtig aan de mouw van mijn moeders jas.

'Mam, mama...? Ik ga even rondlopen, goed?' Mijn moeder knikt vlug, ze is allang blij dat ze even van me af is.

Ik loop snel met de vuilniszak langs de marktkraampjes. Kaas, worstjes, snoepgoed, kleding, muziek, ik zie van alles voorbijschieten. Overal lopen kinderen in verkleedkleren en met schmink op hun gezicht, het valt niet eens meer op dat ik er zo belachelijk uitzie! Bij sommige kraampjes zou ik best even willen blijven staan, maar ik heb geen tijd. Ik moet naar het eind van de lange straat om op te kunnen stijgen. Ik zie een man met een fototoestel om zijn nek, hij merkt mij ook op. Dat is een fotograaf van de krant. Nu weet hij nog van niks, maar wacht maar tot ik straks opstijg, dan zal hij zijn ogen niet kunnen geloven en zich afvragen wie die briljante jongen is die hem doet denken aan een oude meester van vroeger: Leonardo da Vinci!

Ik loop hard door naar het eind van de braderie en denk aan de krantenkoppen die straks boven mijn foto zullen staan:

*Genie van 9 vliegt over dorpsmarkt*
*Briljante jongen doet iedereen versteld staan*
*Wonder Sem van Buuren vliegt over marktplein!*

De woorden van mijn opa spoken opnieuw door mijn hoofd: *Voor de enige Leonardo in onze familie...*

Als ik helemaal aan het eind van de straat ben, doe ik mijn zelfgemaakte vleugels om.

'Oké, Sem, nu of nooit!' fluister ik tegen mezelf.

Ik neem een aanloop en wapper met mijn vleugels. Ik ren en ren en ren en zie de mensen omkijken en wijzen. Ik zou wel harder willen, maar het is vermoeiend en ik heb het bloedheet in al die kleren. Toch ren ik zo hard ik kan. Op het moment dat ik voel hoe mijn voeten bijna van de grond komen, word ik plotseling aan mijn arm weer naar beneden getrokken.

'Is dat hem?' vraagt de lange man die mijn vlucht heeft onderbroken aan de fotograaf van de krant, die er ook bij staat.

De fotograaf lacht en knikt. 'Mogen we even een fotootje maken?' vraagt hij. Voor ik het weet, drukt hij wild op het knopje en maakt hij wel dertig foto's in een paar seconden.

'Hoe heet je?' vraagt de lange man.

'Sem van Buuren met twee u's.'

De man lacht tevreden. 'En als wat ben je?' vraagt hij dan. Ik frons en snap niet goed wat hij bedoelt. 'Nou, we verzinnen wel wat, de uitslag die komt morgen in de krant.'

De uitsl...

'Ha, daar ben je! Ik ben die hele braderie over gelopen!' schreeuwt mijn moeder boos en ze trekt me aan mijn arm mee naar de auto. 'Je moet in de buurt blijven!'

Oei, ze is echt boos. Ik zeg maar niks meer en ga thuis direct naar mijn kamer.

Mijn hele vleugels zijn vernield doordat ik er van mijn boze moeder mee achter in de auto moest zitten. Maar aan de andere kant ben ik blij dat ik die warme kleren uit kan trekken. Ik maak wel weer nieuwe vleugels, dan probeer ik het een andere keer gewoon weer. Ik hou me de hele avond rustig zodat mijn moeder vergeet dat ze boos op me was en het helpt, ze snauwt steeds minder tegen me.

Als ik de volgende dag aan de keukentafel ga zitten om te ontbijten lacht ze zelfs weer naar me. 'Je staat in de krant!' zegt ze trots.

Ik kijk haar aan en voel mijn hart tekeergaan. In de krant... zouden ze dan toch hebben gezien wat ik van plan was...?

Mijn moeder schuift de krant onder mijn neus. 'Op de voorpagina!'

Ik zie mijn foto en lees de krantenkop: *Hommel Sem van Buuren wint verkleedwedstrijd!*

# 7

een heel erg leuk meisje
+
een plan om haar toevallig tegen te komen
=
alleen een goed idee
als je je blijft concentreren!

Jesse en ik zijn aan het knikkeren op de speelplaats vlak bij Jesses huis. Dat vind ik altijd veel leuker dan het speelveld bij ons in de buurt. Jesse is er erg goed in en rolt de knikkers handig richting het knikkergootje.

'Hoi Jesse!' horen we in de verte. Er loopt een meisje met een boodschappentas en ze zwaait.

Jesse kijkt even op en gaat dan meteen weer verder met knikkeren, maar ik staar naar het meisje. Ze heeft een witte jurk aan en witte slippers. Haar lange bruine haar danst in de zomerwind.

'Jij bent, hoor!' hoor ik Jesse zeggen, maar ik kan me niet meer concentreren.

'Wie was dat?' vraag ik zo ongeïnteresseerd mogelijk, anders heeft Jesse me meteen door.

'O, gewoon Milou, een meisje uit de

jazzbuurt,' antwoordt Jesse. De jazzbuurt, die is er nog maar pas, dat is een nieuwbouwbuurt. En Milou, Milou... Milou is eigenlijk een heel mooie naam. Veel mooier in elk geval dan Lisa of Bo of Sarah. Milou is tenminste bijzonder.

'Nou, doe je nog mee of niet?' vraagt Jesse geërgerd.

'Ik zat gewoon even te denken,' zeg ik.

'Waarover dan?' vraagt Jesse.

'Ik denk dat ik Milou ook ken, maar ik weet niet waarvan.'

Jesse kijkt op van zijn knikkers en fronst. Ik heb het natuurlijk gewoon uit mijn duim gezogen en ken Milou helemaal nergens van,  maar misschien geeft Jesse me nu meer informatie. Maar zonder iets te zeggen buigt hij weer voorover en probeert een nieuwe knikker in het gootje te rollen.

'Tja, waarvan zou ik haar nou kunnen kennen, hè?' zeg ik.

Jesses knikker mist het gootje op een haar na en hij haalt zuchtend alle knikkers er weer uit. 'Weet ik het, vraag het haar zelf,' zegt hij en hij knikt met zijn hoofd naar de overkant.

Mijn hart bonkt in mijn keel. Daar loopt Milou weer.

Jesse begint haar te roepen. 'Milou, kom eens!'

Het zweet breekt me aan alle kanten uit. Was ik er nou maar nooit over begonnen!

Ze komt langzaam naar ons toe.

'Hij dacht dat hij je ergens van kende,' zegt Jesse en hij wijst naar mij.

'Ja, ja, dat dacht ik, ja,' stamel ik.

'O ja, waarvan dan?' vraagt ze verbaasd.

Ik schaam me nu nog erger dan net, want nu lijkt het helemáál of ik het allemaal uit mijn duim heb gezogen – wat natuurlijk ook zo is, maar goed... 'Eh, ik dacht het, daarnet toen ik je in de verte zag. Maar nu ik je weer zie, denk ik dat ik me vergist heb.'

Milou knikt. 'Dat denk ik ook, ik zou niet weten waarvan ik je zou kennen.' Ze praat nog even met Jesse, maar ik voel me zo ongemakkelijk dat ik niet kan wachten tot ze weg is. Eigenlijk ben ik jaloers dat Jesse haar wel kent en ik niet, maar daar bedenk ik nog wel een plannetje voor. Als ze eindelijk wegloopt, gaan Jesse en ik weer verder met knikkeren.

'Zie je nou, je kende haar helemaal nergens van,' lacht Jesse.

'Ze lijkt op iemand, denk ik.'

Gelukkig zit Jesse al snel weer met zijn gedachten bij de knikkers en probeer ik dat ook.

De volgende dag besluit ik de boodschap die ik voor mijn moeder moet doen in het nieuwe winkelcentrum te gaan kopen, want dan moet ik door de jazzwijk heen en kom ik Milou misschien weer tegen. Nu weet ze wél wie ik ben, dus zal ze ook wel 'hoi' naar me roepen en kunnen we een praatje maken, net als Jesse gisteren.

Ik fiets zo langzaam als ik kan en bestudeer alle huizen. Waar zou Milou wonen? Hier? Nee, nee, nee. Van sommige huizen weet ik zeker dat Milou er niet woont en bij sommige twijfel ik. Maar ik kom haar nergens tegen. Niet in de straten, niet in het winkelcentrum, het is onbegonnen werk. Deze wijk is zo groot, de kans dat ik haar tegenkom, is veel te klein.

Ik fiets met de boodschap van mijn moeder terug naar huis en besluit morgen weer een nieuwe poging te wagen.

De hele week fiets ik nu al door die jazzwijk en hang de hele tijd op het speelplaatsje bij Jesse rond, maar geen Milou te bekennen. Ik heb mijn moeder vandaag zelfs overgehaald om boodschappen te gaan doen in het nieuwe winkelcentrum, maar wéér heb ik geen geluk gehad.

Ik loop achter mijn moeder aan door de grote supermarkt en Bo zit in het karretje te jengelen. Mijn moeder graait zuchtend in haar tas en geeft me twee muntjes.

'Lieverd, ga jij even met je zusje naar dat speelgoedeendje bij de ingang, dan kan ik tenminste even rustig mijn boodschappen afrekenen,' zegt ze. Ze tilt Bo uit de winkelwagen en ik neem haar mee naar de ingang, zet haar in het eendje en gooi er een muntje in.

Bo wil altijd in alles wat beweegt en dat is soms leuk en soms minder. Leuk is het als ze lachend in of op zo'n apparaat gaat zitten dat voor kinderen bedoeld is. Maar minder leuk is het als ze in een wasmachine kruipt, zoals laatst.

Zo meteen gooi ik er gewoon nog een muntje in, denk ik net, maar als het eendje ermee is gestopt, heeft Bo heel andere plannen. Ze klimt eruit en wijst meteen naar mij.

'Bas in eed!' roept ze. Gelukkig kan ik Bo's woorden tegenwoordig vertalen als de beste en ik snap dan ook meteen dat 'bas in eed', 'baas in eend' betekent. Oftewel: ze zou graag willen dat haar grote broer en baas ook in het eendje gaat.

'Baas is te groot, te groot voor eend,' leg ik uit, maar Bo wil er niets over horen en blijft naar het eendje wijzen.

'Bas in eed, bas in eed!' schreeuwt ze. Ik weet wat er gebeurt als ik niet doe wat ze vraagt, dan zet ze het zo hard

op een gillen dat iedereen boos mijn kant op kijkt. Dus
wurm ik me met grote tegenzin in de buik van het veel te
kleine eendje. Ik gooi er een muntje in en Bo kraait het uit
van plezier! Ik zit behoorlijk voor gek en bedenk hoeveel
plezier ik de andere mensen hiermee doe. Doordat ik me
op dit moment opoffer, hoeven zij niet naar het vreselijke
gekrijs van mijn zusje te luisteren.

'Ken ik je hier misschien van?' zegt een stem naast me
ineens.

Ik probeer opzij te kijken maar zit zo opgepropt in het
veel te kleine eendje dat het me veel moeite kost. Ik schrik
me kapot en weet niet hoe snel ik weer uit het bewegende
eendje moet kruipen.

53

'Eh, Milou, nee dit is niet... Ik deed het voor... Bo, waar ben je?' Ik kijk om me heen. Bo is inmiddels nergens meer te bekennen. Ik sta bij de uitgang en kijk in paniek om me heen.

Milou wijst naar het nog bewegende eendje. 'Hij loopt nog hoor, je kan nog even,' lacht ze.

Ik weet niet goed wat ik moet doen. 'Ik moet weg!' roep ik in paniek.

'Tja, als je het zo leuk hebt, vergeet je de tijd, hè!' lacht Milou.

Ik schaam me kapot en ren naar de kassa waar mijn moeder staat. Bo staat daar gelukkig ook. Ik loop bezweet achter mijn moeder aan, die goddank helemaal niets in de gaten heeft gehad.

Milou staat nog steeds bij de uitgang. 'Hoi!' roept ze vrolijk als we langslopen.

Ik mompel zachtjes 'hoi' terug.

Mijn moeder is meteen nieuwsgierig. 'Wie was dat?' vraagt ze als we bij de auto staan.

Ik haal nonchalant mijn schouders op. 'O, gewoon, Milou, een meisje uit de jazzbuurt.'

# 8

*een slecht bruinende huid*
*+*
*een mooi idee*
*=*
*soms gewoon alleen maar heel erg dom!*

Het is bloedheet. Ik ben net thuis en sta voorovergebogen bij mijn fiets. Ik heb nergens puf meer voor. De kleinste taakjes, zoals het sleuteltje uit het slot halen, kosten me ineens de grootste moeite.

'Hé, Sem, ga je mee naar het strandje?' hoor ik achter me. Het is Robbie Rensema, die bij mij op school zit. Hij heeft zijn B M X tussen zijn benen en een tas om zijn stuur. Vroeger vond ik hem nooit zo aardig, maar tegenwoordig gaat het wel.

'Ik weet niet...'

'Mike en de meisjes komen ook.'

Ik weet natuurlijk niet of mijn moeder het goedvindt, maar dat durf ik niet tegen Robbie Rensema te zeggen, dus doe ik of het me niet zo veel interesseert. 'Ik zie wel,' zeg ik nonchalant.

'Oké, we zitten bij het steigertje!' roept Robbie en hij sprint er op zijn achterwiel vandoor.

Zodra hij uit het zicht is, ren ik naar binnen om het aan mijn moeder te vragen. Want met meisjes op een strandje zitten, die kans krijg ik ook niet elke dag!

Mijn moeder zit in de tuin een tijdschrift te lezen.

'Mam, mam, mag ik mee met de andere kinderen naar het strandje?'

Ze kijkt op van haar tijdschrift en denkt na.

'Please, please, please? Dan doe ik morgen boodschappen voor je en dan ruim ik de hele week de afwasmachine in!'

Het helpt, want er verschijnt een glimlach op haar gezicht. 'Oké, maar neem je wel die zonnebrandcrème uit Frankrijk mee?'

Ik knik en ren naar boven om mijn zwembroek aan te trekken en een handdoek te pakken. Beneden staat mijn moeder me op te wachten met de tube zonnebrandcrème die we bij een apotheek in Frankrijk hebben gekocht, omdat ik volgens haar zo'n moeilijke huid heb.

'Moet ik je rug even insmeren?' stelt ze voor.

Ik schud mijn hoofd. 'Ik vraag het wel aan iemand!' roep ik en ik gris de tube uit haar hand. Ik heb geen tijd te verliezen en spring op mijn fiets.

'Wel insmeren hè, beloof je dat?' hoor ik mijn moeder nog gillen als ik al de hoek om ben.

Het strandje is bij ons in de buurt, ik kom er mijn hele leven al. Eigenlijk is het helemaal geen echt strand, want het ligt aan het surfmeertje. Volgens mijn vader is het een kunststrandje en heeft de gemeente er zand laten storten. Als ik er bijna ben, fiets ik lekker langzaam zodat het lijkt of het me allemaal niet zo veel kan schelen. Ik zie Robbie en de rest al in de buurt van de steiger en zwaai.

'Hé, Sem! Je bent er toch!' gilt Robbie. Precies de reactie waar ik op had gehoopt.

Ik kijk naar de tube en hoor de woorden van mijn moeder in mijn hoofd. *Wel insmeren hè, beloof je dat? Beloof je dat? Beloof je dat?* Ik twijfel of ik een van de meisjes zal vragen om mijn rug in te smeren en erger me tegelijkertijd heel erg aan mezelf. Waarom ben ik toch zo'n brave jongen die altijd naar zijn moeder luistert? Waarom ben

ik niet meer als Robbie en doe ik gewoon waar ik zelf zin in heb?

Ik kijk naar Robbies bruine lijf. Vooral zijn rug is heel erg bruin, dat is omdat zijn vader uit Italië komt.

'Hoef jij je niet in te smeren?' vraag ik hem.

Robbie schudt zijn hoofd. 'Nee, man, ik smeer me nooit in. Allemaal onzin!'

'Verbrand je dan niet?' vraag ik.

'Nee, nooit,' lacht Robbie en hij rent de steiger op. 'Verbranden is voor mietjes!' schreeuwt hij en hij duikt met een grote sprong in het meer.

Wat ben ik jaloers op Robbie! Ik wou dat ik zelf kon duiken, maar dat kan ik niet. Ja, met een duikbril en een neusklemmetje op, dan misschien een heel klein beetje. Sommige kinderen hebben ook alles mee. Een bruine huid, kunnen duiken, een grote mond... Waarom heb ik dat nou allemaal niet?

Ik denk weer aan het dwingende advies van mijn moeder, maar wil me niet insmeren met die crème. Die crème is hartstikke wit en dik en uitsmeren is haast onmogelijk. Als ik me daarmee insmeer, ben ik straks als enige helemaal wit en wil er geen meisje bij me in de buurt liggen. Bovendien riep Robbie net al dat insmeren voor mietjes was en volgens mij ben ik de enige die zonnebrandcrème heeft meegenomen.

Robbie komt uit het water en gaat bij een van de meisjes op een handdoek zitten. 'Dat vind je toch wel goed?' vraagt hij. Het meisje knikt en lacht verlegen.

Robbie heeft een litteken op zijn buik. 'Waar is dat van?' vraag ik.

'O, mijn blindedarm is eruit gehaald.'

Ik kijk naar het witte litteken. Daardoor lijkt Robbie nog bruiner. En omdat het litteken zo opvalt, lijkt hij ook meteen stoerder. Ik wou dat ik ook een litteken had op een stoere plek, maar om er eentje te krijgen moet je je eerst flink verwonden of geopereerd worden, en dat zie ik niet zo zitten.

We zwemmen met de meisjes in het meertje, drinken cola en spelen met een bal op de steiger. Ik voel de zon branden op mijn schouders en fantaseer over een bruine rug. Mijn armen hebben al een kleur gekregen, zie je wel! Mijn moeder verzint maar wat. Ik kan heus wel bruin worden, als ik me maar niet insmeer! Een van de jongens heeft zijn iPod meegenomen en op de speaker gezet. Het is hartstikke gezellig en zelfs de meisjes zijn aardig tegen me. Er is er zelfs eentje bij me op de handdoek komen zitten, Daantje, een heel lief meisje met een blonde vlecht. We zitten nog lang te kletsen, en ik vind het jammer als het ineens zes uur is. Ik had nog wel langer willen blijven, maar we moeten nu echt gaan.

'Morgen weer?' vraagt Robbie.

Ik zeg stoer dat ik wel zal kijken en zeg de anderen ge-dag. Ik voel me als een overwinnaar en kijk trots naar mijn verkleurde armen, die nu nog gloeien, maar waar-schijnlijk morgen donkerbruin zullen zijn.

Als ik thuiskom en mijn rugzak van mijn stuur pak en over mijn schouder gooi, voel ik een pijnlijke scheut op mijn rug, maar dat kan ook van al dat zitten op die hand-doek komen. Ik loop naar de huiskamer, kan ik eindelijk aan mijn moeder laten zien dat ik gewoon bruin kan wor-den net als alle andere kinderen. Trots strek ik allebei mijn armen naar haar uit.

Maar mijn moeder kijkt allesbehalve trots. 'Sem, je bent helemaal verbrand!' gilt ze geschrokken. Ze trekt me aan mijn arm mee naar boven.

Ik begrijp al die ophef niet. 'Ach welnee, ik ben gewoon een beetje verkleurd door de zon,' zeg ik stoer.

Maar mijn moeder zet me eerst een kwartier onder de koude douche en smeert me dan van top tot teen in met verzachtende crème. Ze is verschrikkelijk boos op me en na een paar uur volhouden dat er echt niets met me aan de hand is voel ik dat mijn huid toch wel begint te prik-ken en begin ik te klappertanden en te zweten tegelijk.

'MAMA!' gil ik midden in de nacht.

Mijn moeder komt ongerust mijn kamer in en voelt aan mijn voorhoofd. Ze is nog steeds boos op me en schudt haar hoofd. 'Morgen gaan we naar de huisarts!'

De volgende ochtend zit ik met mijn moeder bij de dokter. En omdat de moeder van Jesse onze huisarts is, sta ik extra voor gek. Ik ben helemaal paars en zit onder de blaren.

De moeder van Jesse geeft me een standje en ik moet haar beloven dat ik me nooit, maar dan ook echt nóóit meer zo laat verbranden. Als ik dat beloofd heb smeert ze me voorzichtig in met een speciale crème en het doet zo veel pijn dat de tranen over mijn wangen lopen. Ik denk aan de woorden van Robbie: 'Insmeren is voor mietjes'.

Nou, ik weet zeker dat dat niet zo is!

# 9

je allerbeste vriend
+
een groot probleem
=
moeilijk als de moeder van je allerbeste
vriend verliefd is op het grote probleem

Jesse staat me op het schoolplein op te wachten. Ik zou vanmiddag bij hem spelen, maar als ik aan kom lopen, heeft Jesse de plannen gewijzigd.

'Laten we maar naar jouw huis gaan,' zucht hij. 'Mijn moeder heeft weer eens een nieuwe vriend.' Ik wil er alles over weten, maar Jesse wil er niet veel over zeggen. 'Hij is waarschijnlijk toch binnen twee weken weer weg.'

Daar moet ik Jesse gelijk in geven, op de een of andere manier weet zijn moeder haar vrienden nooit lang te houden en dat ligt niet aan haar, maar aan die vrienden. Omdat Jesses moeder huisarts is, werkt ze veel en daar kunnen die vrienden meestal niet tegen, heeft Jesse verteld. We lopen samen naar mijn huis en Jesse mag zelfs bij ons blijven eten.

Een week later komen mijn moeder en ik de oprit oprijden en staat Jesse weer voor de deur.

'Wat gezellig, Jesse is er!' roept mijn moeder.

'Wat is er?' vraag ik. Hij kijkt zo moeilijk, er moet haast wel iets aan de hand zijn met Jesse.

Hij haalt zijn schouders op en kijkt beteuterd. 'Ik wil niet thuis zijn als dat ei er weer is.'

Ik snap er niets van. 'Welk ei?'

'Ron, de nieuwe vriend van mijn moeder. Maar ik noem hem een ei omdat... nou, gewoon omdat hij een ei is. Ik snap niet waarom mijn moeder hem zo leuk vindt.'

Ik begrijp zelf ook niet altijd wat mijn ouders zo leuk vinden aan elkaar, maar ben ondertussen best wel nieuwsgierig geworden naar de nieuwe vriend van Jesse's moeder. 'Wat doet hij dan?' vraag ik.

'O, hij is zooooooooo verschrikkelijk saai,' jammert Jesse. 'En hij noemt mij Jessepesse, hoe haalt hij het in zijn hoofd! Mijn eigen vader zou me zo niet eens mogen noemen!'

'Ik zou hem wel eens willen zien, die Ronnepon,' lach ik, want zolang hij híér niet woont kan ik er de lol wel van inzien.

Jesse kan ook weer een beetje lachen en komt meteen op een idee. 'Ronnepon, ja, ik kan hem Ronnepon noemen! Morgen is hij ook weer bij ons, hij moest een paar lampjes ophangen voor mijn moeder en zou ook blijven eten,' vertelt Jesse.

'Zal ik morgen na school anders met je meegaan?'

vraag ik. Jesse vindt het een goed idee. Ik verheug me er nu al op. Ik ben inmiddels toch wel erg nieuwsgierig geworden naar die nieuwe vriend van Jesses moeder.

Als we de volgende dag samen naar zijn huis lopen, loop ik stevig door, terwijl Jesse extra langzaam loopt. Maar als we eindelijk bij zijn huis aankomen, doet Ron de deur al open voor Jesse zijn sleutel in het slot heeft kunnen steken.

Ron is lang en blond met een dunne snor. Hij heeft een gestreept overhemd aan. 'Hoi Jessepes,' zegt hij vriendelijk.

'Hoi Ronnepon,' roept Jesse en hij rent voor mij uit de trap op. Lekker dan, laat hij mij hier achter met de nieuwe vriend van zijn moeder!

'En met wie heb ik het genoegen?' vraagt Ron.

Ik steek mijn rechterhand naar hem uit. 'Ik ben Sem.'

Ron bekijkt me van top tot teen. Hij zal wel onder de indruk zijn van mijn beleefdheid, er zijn weinig kinderen die weten welke hand ze moeten uitsteken, maar ik weet dat toevallig heel goed. Wie weet vertelt Ron het nu weer tegen de moeder van Jesse en zegt zij het weer tegen een van mijn ouders omdat ze ook onze huisarts is...

Ron kijkt naar mijn hand en slaat me lomp op mijn rug. 'Oké, Sem-puistencrème, ga maar naar Jessepesse.' Ron draait zich om en laat me alleen in het halletje achter.

Met gebogen rug loop ik de trap op. 'Je hebt gelijk, het is een rotzak!' zeg ik als ik op de kamer van Jesse ben. Maar Jesse is alleen maar met zichzelf bezig.

'Hoorde je wat ik tegen hem zei? Ik zei Ronnepon! Zag je hem kijken?' Jesse is trots op zichzelf, maar het kan me niet schelen. Ik ben helemaal chagrijnig en loop naar de spiegel boven zijn wastafel.

63

'Wat vind jij van mijn huid?' vraag ik.

Jesse snapt niet waar ik het over heb. 'Je huid, hoezo?'

'Vind je dat ik er raar uitzie, met bobbeltjes op mijn ge-zicht en zo?'

'Bobbeltjes, wat voor bobbeltjes?' vraagt Jesse.

'Ron noemde me net Sem-puistencrème!' leg ik uit.

Jesse schudt zijn hoofd en omdat ik inmiddels ook een hekel aan Ron heb gekregen vind ik het de hoogste tijd om in te grijpen.

'Zullen we een plan bedenken om hem weg te krijgen?' vraag ik.

'Het moet wel een heel erg goed plan zijn,' zegt Jesse, 'want straks trouwen ze en dan zit ik mijn hele leven met hem opgescheept!'

We gaan op Jesses bed zitten en denken hard na. Na een half uur denken en een uur knutselen hebben we een fantastisch plan bedacht. We hebben een kartonnen fototoestel geknutseld en erin een digitaal fototoestel verstopt. Hiermee gaan we Ron in de val lokken.

Met het knutselwerk lopen we naar beneden. Het is zo goed gelukt, je kunt nergens aan zien dat er een echt fototoestel in verstopt zit.

Jesse loopt met het toestel op Ron af, die op de bank de krant zit te lezen. 'Ron, wil je ons helpen met een project?' vraagt Jesse slijmerig.

'Wat voor project?' vraagt Ron vanachter zijn krant.

'Het is voor school,' legt Jesse uit. 'We hebben allemaal een fantasiefototoestel gemaakt, daarmee moeten we gekke foto's maken van onze familie en die moeten we in ons hoofd opslaan.'

Ron legt zijn krant opzij en bekijkt het zelfgemaakte toestel in Jesses hand.

'Mama is er niet, dus dachten we dat het leuk was om ze van jou te maken,' legt Jesse uit.

Ron kijkt scheel. 'Zoiets?' vraagt hij.

Jesse drukt op het knopje van het zelfgemaakte toestel en zucht erbij. 'Het moet eigenlijk gekker. Ouders moeten echt gekke dingen doen, anders heb ik straks niks om over te vertellen in het kringgesprek. Nou ja, anders wacht ik wel tot mama thuis is.'

Ron springt op. 'Tot je moeder thuis is? Ik kan ook heus wel gekke dingen doen, hoor!' Hij gaat weer zitten, legt zijn voeten op de salontafel en maakt twee konijnenoren bij zichzelf. 'Is dit beter?'

We knikken. Jesse richt het toestel op Ron en roept 'KLIK!'

Hoe langer we zogenaamde fantasiefoto's van Ron maken, hoe gekker Ron doet.

Hij glijdt van de trapleuning, hij trekt de hakken van

Jesses moeder aan, hij springt op het bed... 'Sla dit maar op in je hoofd! Moet je opletten wie straks de leukste fantasiefoto's heeft om over te praten!' lacht hij hard. Hij stopt zelfs de lievelingsoorbellen van Jesses moeder in zijn mond en steekt zijn tong uit.

'Ja, heel goed, Ron!' roept Jesse enthousiast.

Zodra we klaar zijn, rennen we met het toestel naar boven, waar Jesse de foto's uitprint op fotopapier. We lachen ons rot en kunnen niet wachten tot de moeder van Jesse de foto's per ongeluk vindt in de keukenla...

Jesse doet ze in een envelop waar hij met blokletters: FOTO'S VRIENDIN NUMMERTJE 7, HEIDELAAN 22 op schrijft. Hij laat de bovenste foto er een stukje uit steken en zet het statief dat bij het toestel hoort in de hal.

'Nu wachten tot mijn moeder straks klaar is met werken,' grinnikt Jesse.

We willen er niets van missen en gaan aan de keukentafel zitten met een spelletje.

'Hallo, ik ben er weer!' horen we na een tijdje. Jesses moeder geeft Ron een zoen en komt daarna de keuken binnen. Jesse en ik zeggen haar allebei gedag en het duurt niet lang voor zijn moeder de la opentrekt.

'Wat zullen we nou krijgen!' roept ze en ze vist de envelop uit de la. 'Vriendin nummertje zeven!' Vol afschuw bekijkt ze de foto's.

Ron wil weten waar het over gaat, en ziet zichzelf op de belachelijke foto's. Hij trekt de foto's uit haar handen en kijkt woedend naar ons. 'Die twee moet je hebben!' zegt hij tegen Jesses moeder, maar die kan alleen maar vol afgrijzen naar de foto met haar oorbellen kijken.

'Hij had een toestel van karton gemaakt om fantasiefoto's te maken voor school!' roept Ron boos.

Jesse kijkt Ron verbaasd aan en doet net of hij gek is.

'Een kartonnen fototoestel? Fantasiefoto's? Ik ben toch geen kleuter!'

Jesses moeder kijkt vragend naar ons, maar Jesse wijst naar de hal. 'Nee, echt waar, mam, wij hebben er niets mee te maken. Kijk maar, hij heeft het statief in de hal laten staan!'

Ze rent naar de gang en ziet dat Jesse de waarheid heeft gesproken. Dan loopt ze naar Ron en wijst naar de deur.

'En mijn zoon nog de schuld geven ook? Ga maar op zoek naar vriendin nummertje acht! Hoe durf je! Mijn huis uit, nu!'

Ron kijkt woedend naar ons en vervolgens naar de moeder van Jesse. 'Maar schatje-patatje, toe nou!'

Jesses moeder duwt Ron de voordeur uit en gooit zijn jas erachteraan. 'Niks, schatje-patatje! Mijn huis uit, ik wil je nooit meer zien, leugenaar!'

Jesse zwaait als hij Ron langs het keukenraam ziet lopen. 'Dag Ronnepon! Tot nooit meer ziens!'

# 10

*een geweldig pretpark*
*+*
*een superattractie waar je nog niet in mag*
*=*
*nog leuker als je dat stiekem*
*toch vast doet...*

Als er iemand handig is met het uitsparen van geld, dan is het wel mijn moeder. Kleding koopt ze in de uitverkoop, voor de boodschappen knipt ze kortingbonnetjes uit de krant en verjaardagscadeautjes voor vriendjes en vriendinnetjes koopt ze bij een of andere zaak die dozen heeft staan met overgebleven spullen. En ze koopt die alleen per doos zodat we dan bijvoorbeeld kunnen kiezen tussen een balpen met een lampje, een setje met twee stuiterballen of een sleutelkoord waar 'Scheepswerf het Haventje' op gedrukt staat. En niet omdat we geen geld hebben, helemaal niet, gewoon omdat ze het leuk vindt.

Nu heeft ze eindelijk eens iets geregeld waar we allemaal wat aan hebben. Nou ja, iedereen behalve mijn vader dan. We gaan met de hele familie naar een groot pretpark! Eindelijk, want mijn moeder had de kaarten allang, maar ze wilde alleen gaan als we een keer op een maandag buiten de schoolvakanties konden, en dat is dus vandaag. Op onze school is vrijdagmiddag namelijk een balk naar beneden gekomen en nu willen ze onderzoeken of er houtworm in zit. Zolang ze dat niet zeker weten, is het niet veilig op school. Gisteravond werden we gebeld door meester Maarten. En nu heeft mijn vader halsoverkop een dag vrij genomen en zitten we in de auto naar het pretpark.

'Hier, kijk maar even wat er allemaal te doen is,' zegt mijn moeder en ze geeft Lisa en mij een folder van het pretpark. Ik bekijk de foto's en kan mijn ogen maar niet afhouden van de grootste achtbaan van Europa, de Super Snake.

'Wauw, daar wil ik in!' roep ik enthousiast en ik laat de foto aan Lisa zien.

Lisa houdt niet zo van enge dingen en gruwelt al bij de gedachte. 'Jakkes, nee, mij te hoog hoor!'

Ik probeer naar de andere attracties te kijken, maar mijn ogen worden steeds weer naar de foto van de Super Snake getrokken. De grootste achtbaan van Europa, en straks zit IK erin!

'Ik ga in de Super Snake!'

Lisa is onder de indruk. 'Dat je dat durft, ik word al duizelig bij de gedachte!'

Ik haal nonchalant mijn schouders op. 'Ik niet hoor, ik kan er supergoed tegen!'

Als we bij het pretpark aankomen, kunnen we zo doorrijden en ook voor het hek staat maar een korte rij.

Ik ben helemaal opgewonden van het idee dat ik straks in de grootste achtbaan van Europa zal zitten en vind eigenlijk maar één ding jammer aan vandaag, en dat is dat de rest van de familie ook mee is. Maar ik klamp me vast aan het idee dat ik straks lekker van ze af ben, nog een paar metertjes en we zijn door de hekken. Ik spreek gewoon een tijd af en dan ga ik lekker alle enge attracties in mijn eentje doen!

Maar voor we langs de kaartcontrole zijn, heeft mijn moeder alvast mijn hele dag verpest.

'We blijven vandaag gezellig bij elkaar in de buurt en

maken er een echte familiedag van, begrepen?' zegt ze
terwijl ze mijn bovenarm stevig vasthoudt. Soms is dat
zo eng aan mijn moeder, dan lijkt het net of ze mijn ge-
dachtes kan lezen.

Eenmaal door het hek zie ik meteen dat een gewone
schooldag een prima dag is om naar een pretpark te gaan,
want er staan amper rijen bij de attracties. Er lopen wel
veel oudere mensen, maar die komen niet voor de Super
Snake, natuurlijk.

Mijn moeder heeft meteen een plan gemaakt voor de
dag. 'Ik wil dat iedereen kan doen wat hij of zij leuk vindt,
en zoals ik al zei wordt dit een gezellige fa-mi-lie-dag! En
om zeker te weten dat we niemand vergeten heb ik iets
handigs bedacht: we gaan loten wie er als eerst aan de
beurt is.' Ze haalt drie opgevouwen papiertjes uit haar
tas en trekt de eerste. 'We gaan eerst doen wat... Lisa leuk
vindt. Daarna doen we wat... Bo leuk vindt, dus Sem, jij
bent als laatste.'

Lekker dan, heb ik daarvoor anderhalf uur in de auto gezeten! We lopen met zijn allen achter Lisa aan, die eerst mag kiezen wat ze wil doen. Lisa kan erg moeilijk beslissen, maar ineens staat ze stil bij drie groene gebouwtjes. 'Hier wil ik in!' roept ze enthousiast.

'Dat zijn elektriciteitshuisjes, laten we dat maar niet doen!' zucht mijn vader, die sowieso al geen zin had om met de hele familie naar het pretpark te gaan, maar min of meer door mijn moeder gedwongen is om mee te gaan.

Na ruim drie kwartier wijst mijn vader naar een kabouter. 'Als jij ernaast gaat staan, zal ik een leuke foto van je maken,' zegt hij.

Lisa vindt het super en rent meteen naar de kabouter, waar ze eerst een borstel door haar haren haalt.

Mijn vader verliest zijn geduld. 'Lisa, komt er nog wat van?' moppert hij. 'Het is maar een kabouter hoor!'

Eindelijk slaat ze haar arm om de kabouterschouder en maakt mijn vader snel een foto van haar. 'Zo, volgende kind...!' roept hij.

Al die waanzinnige attracties, als ik alleen was zou ik het wel weten!

'Zullen we eerst even iets eten?' vraagt mijn moeder.

Dat vinden we allemaal een goed idee.

Bij het restaurant is het wel druk, omdat al die oudere mensen op tijd willen eten en mijn ouders sluiten achter aan in de rij.

'Mam, ik moet naar de wc,' verzin ik, want ik heb ineens een geweldig idee gekregen.

'Kun je het zelf vinden, denk je?' vraagt mijn moeder.

Ik knik snel, loop rustig de hoek om en zet het dan op een rennen. Die Super Snake is niet ver van hier, ik kan er best even gauw in. Ik ren en ren en dan ben ik bij de beste attractie aangekomen die dit pretpark te bieden heeft: de SUPER SNAKE!

Ik ga erin zitten en klik mijn gordel vast, ik voel mijn hart kloppen in mijn keel. Gewoon in de Super Snake is al spannend, maar stiekem... dat kan ik iedereen aanraden! De Super Snake begint te rijden en oei, oei, oei, wat gaat ie hard! Ik durf haast niet te kijken en krijg een raar gevoel in mijn buik. Oeoeoe ieieieieieieieieieieie, klinkt het. Mijn oren suizen ervan en als de Super Snake stopt, voel ik me extreem gelukkig en trots dat ik in de grootste achtbaan van Europa heb gezeten.

Als ik uitstap, trillen mijn benen nog, maar ik probeer me er niets van aan te trekken en ren zo goed en zo kwaad als ik kan terug naar het restaurant waar mijn ouders zitten. Wat een timing! Ze staan net bij de kassa.

'Wat was jij lang weg!' merkt mijn vader op.

'Ja, ik was... Ik had eh... Ik stond in de rij.'

Gelukkig redt de kassajuffrouw mij door de aandacht van mijn vader te vragen. 'Dat is dan € 34,75 alstublieft.'

Tijdens het eten zitten mijn ouders en zusjes druk te

babbelen, maar ik kan maar aan één ding denken: mijn geweldige rit in de Super Snake en hoe ik er zo snel mogelijk nog een keer in kan, zonder dat mijn ouders het in de gaten hebben.

Een uur later is het zover. Nadat we nog wat rondgelopen hebben en mijn moeder Lisa nog een ding heeft laten kiezen omdat ze alleen die kabouter een beetje weinig vond, moet iedereen naar de wc. Lisa en mijn moeder naar de dames en mijn vader zou Bo meenemen naar de herentoiletten. Ik bedenk me geen moment en besluit voor de tweede keer mijn kans te grijpen.

Ik ren zonder achterom te kijken naar de Super Snake, we zijn er nu vlakbij. Lisa en mijn moeder zijn altijd erg langzaam op de toiletten en mijn vader is ook vast wel even bezig met Bo. Ik heb geluk en kan meteen in de volgende rit. En omdat ik nu al weet wat ik ongeveer kan verwachten, geniet ik er nog meer van dan daarnet. Daarna ren ik weer terug naar de toiletten, waar ik tot mijn grote opluchting als eerste weer bij de boom sta waar we zouden verzamelen.

Als iedereen weer terug is, is het de beurt aan Bo om te kiezen.

'Teekoppies!' roept ze hard. Ze wil in de theekopjes: grote gekleurde theekopjes die ronddraaien op een schotel, maar als we bij de attractie aankomen, ziet mijn moeder dat je kleiner moet zijn dan 1 meter 55 om erin te mogen.

'Lisa, wil jij met je zusje in de theekopjes?' bedelt mijn moeder, maar Lisa schudt haar hoofd.

'Nee hoor, mij niet gezien. Ik vind dat doodeng!'

Mijn moeder zucht en kijkt met een zielig gezicht naar mij en vervolgens naar Bo, die verwachtingsvol bij het poortje staat.

'Als ik hierna twee keer in de Super Snake mag!' zeg ik.

Mijn moeder knikt met tegenzin, maar weet dat ze geen keus heeft, en ik loop trots naar Bo en neem haar aan haar handje mee naar de theekopjes. Als we samen in een roze theekopje zitten, zwaait mijn moeder naar ons. Ik ben blij dat het vandaag niet zo druk is in het pretpark. Het is toch om je dood te schamen, zo'n grote jongen in zo'n kleuterattractie! Maar hierna mag ik twee keer in de Super Snake, dus wil ik best even voor gek zitten.

De kopjes beginnen rond te draaien en Bo gilt het uit van plezier. We zwaaien naar mijn ouders die langs de kant staan te kijken. En dan voel ik me na het dertigste rondje plotseling niet zo lekker. Mijn maag begint te draaien net als daarnet in de Super Snake, alleen voel ik nu ook iets omhoog komen. Ik hang mijn gezicht over de rand van het theekopje en kots precies op de schotel. Vanuit mijn ooghoeken zie ik mijn moeder haar handen voor haar mond slaan. De rit lijkt uren te duren en ik ben dol-

gelukkig als het gedraai eindelijk stopt. Als ik eruit kom, voel ik me nog steeds slapjes. Volgens mijn moeder zie ik zo wit als een spook.

'Nu nog lekker twee keer in de Super Snake, Sem?' lacht Lisa. 'Nu heb ik in ieder geval een mooi verhaal op school: mijn broer kotst in een theeschoteltje!' Lisa blijft me uitlachen, maar het kan me niks schelen, want ik weet dat ik zelf een beter verhaal heb!

# 11

een nieuwe jongen
+
een oude vriend
=
een moeilijke keuze...

Ik zit op mijn kamer en weet dat ik op moet ruimen, maar het is zo'n puinhoop dat ik gewoon niet weet waar ik moet beginnen.

'Als je kamer opgeruimd is, mag je buiten spelen,' zei mijn moeder. En het is lekker weer, dus wil ik dolgraag naar het speelveld.

Eerst maar die kleren van de grond rapen. Ik pak ze bij elkaar en gooi de hele handel in de wasmand. Zo, dat ziet er al een stuk beter uit. Ik gooi pennen en andere losse kleine dingetjes in mijn bureaula en berg de grotere dingen op waar ze horen. Na twintig minuten is mijn kamer weer helemaal netjes en hoor ik beneden de deurbel gaan.

'Sem, Jesse staat voor de deur!' roept Lisa.

Jesse, wat een timing! Kunnen we mooi samen naar het speelveld gaan. Ik ren de trap af en loop naar de deur. Jesse staat te stralen van geluk.

'Zaterdag,' zegt Jesse trots, 'zaterdag krijg ik hem eindelijk!'

Ik frons. 'Wat?'

'Mijn opblaasboot, natuurlijk! Ga je mee varen?'

Ik knik. Dat is waar, Jesse heeft zijn moeder de oren van het hoofd gezeurd om een opblaasboot, want hij wil later schipper worden. Hij vraagt al maanden elke dag aan zijn moeder of ze een boot wil kopen en om ervan af te zijn krijgt hij nu een opblaasboot. Dit is dus meteen het bewijs dat heel lang en vervelend zeuren wel degelijk zin heeft!

Jesse is de dag al helemaal aan het uitdenken. 'Dan kom jij zaterdag bij mij om twee uur, want 's morgens krijg ik hem al. En dan blaas ik eerst de boot op en dan kunnen we hem samen naar de sloot tillen en dan neem ik snoep mee en cola en een deken en misschien kunnen we dan ook proberen een tentje op de boot te bouwen, zoals bij een echte boot.'

Ik zucht, Jesse kan zo doordraven. 'We zien zaterdag wel, oké?'

Jesse knikt. 'Maar je komt wel hè, zweer je dat?'

Ik spuug op de grond en houd mijn vingers gekruist in de lucht. 'Ik zweer het!'

Jesse is gerustgesteld.

'Ga je mee naar het speelveld?' vraag ik, maar Jesse schudt zijn hoofd en pakt zijn fiets.

'Ik kan niet, ik moet met mijn moeder mee naar de stad. Ik kwam je alleen even het goede nieuws vertellen.'

Jammer dat Jesse niet kan. Ik loop alleen naar het veld, waar wat jongens die ik ken druk aan het voetballen zijn.

Eén jongen is nieuw, ik heb hem in ieder geval nog nooit eerder gezien, maar de anderen lijken hem wel te kennen. Hij rent achter de bal aan en ik zie zo dat hij op voetbal zit. Handig passeert hij de andere jongens en hij houdt moeiteloos de bal aan zijn voet.

'Freddy, Freddy, naar mij, naar mij!' gillen de andere jongens. Hij heet dus Freddy.

Freddy scoort en maakt een radslag. 'Nummer dertig!' gilt hij trots. Ik ben zwaar onder de indruk van die Freddy. En terwijl ik normaal gewoon het veld op loop om

mee te doen, blijf ik nu geduldig langs de kant staan om
te kijken. Freddy heeft me gezien.

'Doe jij ook mee?' roept hij naar mij.

Ik heb wel zin, maar ik zit natuurlijk niet op voetbal en
ik ben bang dat Freddy vindt dat ik het spel verpest met
mijn gestuntel. 'Ik zit er niet op hoor!' waarschuw ik,
maar dat kan Freddy niets schelen.

'Maakt niet uit, man! Doe gewoon mee!'

Ik ren het veld op en doe extra mijn best om Freddy
voorzetten te geven waaruit hij kan scoren. Het lukt me
aardig en Freddy geeft me na elk doelpunt dat hij uit mijn
voorzet maakt een high five.

Soms doet Freddy zelfs gevaarlijke trucjes. Hij neemt
bijvoorbeeld een aanloop en maakt dan een salto voorover in de lucht. Wauw!

'Ja, lachen hè, heb ik lang op geoefend,' lacht Freddy
naar ons.

Ik weet niet wat het is met Freddy, maar hij lijkt wel een soort magneet te zijn. Alle kinderen willen in zijn buurt zijn en iedereen vindt alles leuk wat hij zegt. Op de een of andere manier heeft Freddy iets. Je wil gewoon van alles van hem weten. Hoe hij woont, of hij nog broers of zusjes heeft, hoe zijn ouders eruitzien, wat voor kamer hij heeft, bij welke club hij voetbalt... Freddy is het soort jongen met wie iedereen vrienden wil zijn.

Als we uitgevoetbald zijn, vertelt Freddy over zijn verjaardagsfeest. 'Zaterdag vanaf een uurtje of één aan de Akerlaan nummer negen. Mijn pa heeft een zwembad besteld en een grote trampoline,' zegt hij tegen de andere jongens, die wild op en neer beginnen te springen. Blijkbaar mogen ze allemaal komen.

Freddy ziet dat ik als enige niet weet waar het over gaat

en slaat zijn arm vriendschappelijk om mijn schouder.

'Hé, talentje, kom jij ook?' vraagt hij.

Wauw! Hij noemde me talentje, hij vindt me dus goed! Maar Jesse en ik zouden die dag gaan varen in zijn nieuwe opblaasboot. Dat heb ik met hem afgesproken.

'Nou?' vraagt Freddy.

'Ik kan niet,' zeg ik zacht.

Freddy slaat me op mijn rug. 'Maakt niet uit, makker, volgende keer beter!'

Ik baal dat ik nou juist op zaterdag heb afgesproken, maar kan mijn beste vriend toch niet laten vallen voor een jongen die ik net ken?

Als ik thuiskom, besluit ik Jesse te bellen en zo te kijken of er nog iets te regelen valt. Wie weet kan hij ook wel op zondag, dan kan ik én naar de verjaardag én met Jesse mee varen! Ik druk zijn nummer in.

'Hallo, met Jesse, met wie spreek ik?'

'Hoi Jesse, met Sem,' zeg ik, en Jesse begint zonder af te wachten waarvoor ik bel meteen een heel verhaal in mijn oor te ratelen.

'Hoi, Sem! Ik heb alles al in een tas gedaan, hoor. Cola, chips, een deken, winegums, en ik heb er ook een zaklamp bij gedaan voor de zekerheid, zodat we onder de donkere bruggetjes kunnen kijken. En zondag neem ik de boot mee naar mijn vader en dan ga ik bij hem in de buurt varen!'

Ik zucht, zondag is hij er dus niet.

'Waarvoor belde je eigenlijk?' vraagt Jesse ineens.

'O, niets... Ik wilde een hengel meenemen,' verzin ik.

'Een hengel, super! Dan neem ik ook een hengel mee!' roept Jesse enthousiast.

Ik leg de telefoon weer neer en zucht. Ik ben natuurlijk heel erg blij met Jesse, maar zo'n vriend als Freddy wil ik eigenlijk ook mijn hele leven al. Maar afspraak is afspraak. Ik kan het echt niet maken om het nu nog af te zeggen.

Zaterdag fiets ik naar Jesse. We maken samen een kajuit op zijn nieuwe opblaasboot. Het wordt heel mooi en varen met de boot is zo leuk dat ik het verjaardagsfeest van Freddy helemaal vergeet. Totdat ik ineens zijn stem hoor aan de waterkant.

'Hé, toffe boot, man! Ziet er professioneel uit. En die kajuit erop is ook cool,' roept Freddy. Hij staat aan de kant en ik zie dat zijn tuin aan het water grenst. Het feestje is in volle gang.

Jesse glimlacht trots naar Freddy. 'Vind je dat echt?'

Freddy knikt. 'Ja, man, anders zeg ik het toch niet.' We leggen de boot en aan en Freddy geeft mij een por. 'Ik wist niet dat jij zulke leuken vrienden had, dat had je me wel eens mogen vertellen, talentje!'

Freddy helpt Jesse aan de kant en we binden de boot vast aan de kade. We springen op de trampoline, eten van de BBQ en als het bijna donker is en we weer weg willen varen, geeft Freddy ons een megagrote zak snoep mee voor onderweg.

'Bedankt, Freddy!' roepen we en we zwaaien naar hem.

Jesse is net zo onder de indruk van Freddy als ik was.

'Waarom had je niet verteld over dit feestje, dan hadden we een andere dag kunnen varen,' zegt Jesse.

'Omdat ik jou al beloofd had om te varen,' leg ik uit.

'Freddy is een leuke jongen, maar ik heb maar één beste vriend!' zeg ik trots.

# 12

een reisje
+
een afspraak op het verkeerde moment
=
grote problemen bij de tentindeling!

Mijn moeder heeft een afspraak bij de tandarts gemaakt op een woensdagochtend. Het kon niet anders, volgens haar. En daardoor ben ik nu twee uur later, waar ik een grote hekel aan heb, want ik hou er helemaal niet van om iets op school te missen.

Als mijn moeder me eindelijk bij school afzet, loop ik zo snel mogelijk door naar mijn klas.

De klas zit stilletjes te rekenen en ik probeer zo min mogelijk te storen terwijl ik naar mijn tafel loop. Meester Maarten zit werk na te kijken. Op het schoolbord achter zijn hoofd merk ik meteen iets op. De meester heeft de namen van iedereen in de klas in setjes van twee op het bord geschreven en mijn naam staat er als enige los onder.

Ik knijp Mark zachtjes in zijn arm en wijs naar het bord. 'Waarom staat mijn naam als enige los?' fluister ik.

Mark kijkt me vol medelijden aan. 'We hebben de tentindeling gemaakt voor het schoolkamp en toen bleef jij over, want we hadden een oneven aantal kinderen en jij was er niet.'

Ik schrik en staar naar de lijst op het bord. 'Dus moet ik maar alleen in een tent?' roep ik verschrikt.

'De meester wilde iets voor je verzinnen, misschien

mag jij als eerste kiezen welke tent je wil,' zegt Mark, maar ik baal en heb helemaal geen zin meer in dat kampeeruitje met de klas. Wat is er nou nog aan als je alleen in een tentje moet liggen, niks toch?

Ik pak mijn rekenschrift, maar kan me absoluut niet concentreren. Wat een rotstreek van de meester! Snel een tentindeling maken met de klas als ik er niet bij ben. Ik probeer oogcontact met hem te krijgen. Als hij eindelijk mijn kant uit kijkt, staar ik vol onbegrip naar het bord.

'Ja, Sem...' zucht meester Maarten. Hij vindt het blijkbaar ook een pijnlijk onderwerp. 'Ik zit met een oneven aantal kinderen en er moet er eentje alleen in een tent, dus... Ach, jij bent een van de verstandigste, dat vind je vast geen groot probleem, toch?'

Ik ben woedend. Geen groot probleem? Een megagroot probleem bedoelt hij zeker!

Van alle kinderen in de klas ben ik natuurlijk weer de enige die over moest blijven. Waarom moest mijn moeder nou juist op die ochtend een afspraak met de tandarts

maken? Ik heb ineens een hekel aan haar, aan iedereen in mijn klas en nog het meest aan meester Maarten.

Ik ben er de hele dag chagrijnig over en al helemaal als mijn moeder tijdens het avondeten blijft vragen waarom ik zo stil ben.

'IK MOET ALLEEN IN EEN TENT!' schreeuw ik naar haar. 'En dat komt allemaal door jou! Omdat ik vanmorgen naar de tandarts moest, ben ik als enige niet bij de tentindeling geweest en nu ben ik over en moet ik ALLEEN in een tent!'

Mijn vader is zo te zien de enige die me begrijpt. Hij schudt zijn hoofd en vindt het ook onredelijk dat ik als enige alleen in een tent moet liggen. Maar op mijn moeders steun hoef ik zo te zien niet te rekenen. Zij heeft er een hekel aan als we tegen haar schreeuwen en vindt dat ik er niet zo'n probleem van moet maken.

'Ach Sem, het is alleen maar de nacht, jullie mogen vast heel erg laat naar bed en je bent de hele dag met elkaar en als je slaapt, kun je toch niet kletsen,' zegt ze, maar ik voel me er niet echt beter door.

Het is zover, het is de dag dat ik alleen in een tentje moet slapen. Mijn moeder was vandaag wel extra aardig voor me. Ze heeft een stapeltje kleren opgevouwen en een zakje snoep op mijn bed gelegd en als ik het eenzame stapeltje zie, voel ik de tranen branden in mijn ogen. Alles aan mij is eenzaam, zelfs mijn kleren zien er eenzaam uit. Ik stop ze in mijn tas en controleer niet eens wat ik allemaal bij me heb, zo weinig kan het me schelen.

We moeten eerst bij school verzamelen, want daar stopt de bus die ons naar de bossen gaat brengen. Met lood in mijn schoenen loop ik naar de auto en ik ga met mijn tas achterin zitten.

'Toch niet een beetje zin?' vraagt mijn moeder.

Ik schud resoluut mijn hoofd. 'Nee, helemaal N I E T! Ik wil niet naar dat stomme schoolkamp,' mopper ik.

Ik laat mijn moeder de auto achter de school parkeren en spring er snel uit. 'Je hoeft me niet uit te zwaaien, ik ga alleen!'

Mijn moeder draait teleurgesteld haar raampje open. 'Echt niet?'

Ik geef haar vlug een kus op haar wang, zo hou ik haar tenminste tevreden. 'Nee, dag mam!' roep ik.

Ik ren naar de klas, maar daar is niemand te bekennen. Er staan alleen maar spullen voor het kamp. Ook een grote stapel rode tentzakken. 'Leerlingtenten', staat er met stift op geschreven.

Ik kijk uit het raam en zie de grote bus staan. Het laadruim staat open en het is er vreselijk druk. Bij de bus krioelen ouders en kinderen met ingepakte weekendtassen. Gewoonlijk verheug ik me het hele jaar op zo'n reisje, maar nu voel ik alleen maar een soort steen in mijn maag en zou ik het liefst weer met mijn moeder terug naar huis rijden.

Ik kijk naar de stapel tenten. Ik kijk om me heen, pak een tentzak van de stapel en zet hem vlug in de bezemkast in de gang. Zo, precies een tentje te weinig...

Ik loop met mijn tas naar de bus, stap in en kijk uit het raam hoe de meester samen met de buschauffeur twee steekkarretjes met rode leerlingtentjes naar de bus rijdt.

Als we bij het bos zijn aangekomen, stappen we uit de bus. Meester Maarten deelt de tentzakken uit en ik zorg dat ik extra treuzel. De meester merkt dat er een tentje te weinig is, en raakt een beetje in paniek.

'Eh, Sem...' stamelt meester Maarten.

'Heb ik nou helemaal geen tent?' roep ik zogenaamd geschrokken.

De meester neemt me mee naar de kinderen die hun tent al hebben opgezet en kijkt bij eentje naar binnen. 'Die tentjes zijn ruimer dan ik dacht,' mompelt hij. 'Ik weet het goed gemaakt: kies jij maar bij wie je erbij wil.'

De andere kinderen beginnen enthousiast door elkaar heen te roepen: 'Kom bij ons, Sem, kom bij ons!' Ze willen allemaal wel zo'n gezellige driepersoonstent.

Ik kijk rond om eens op mijn dooie gemak te beslissen. En o, o, o, wat ben ik ineens populair!